JN101658

新編 琉球三国志

〈下〉

人の巻

与並岳生

新編　琉球三国志　下

新編　琉球三国志　下――目次

人の巻

人の巻

第七章　尚巴志の旗

1

綿雲《わたぐも》が、流れるともなく、ゆったり、浮かんでいた。どこか新緑の香りも含んだ晩春の微風が、爽やかに、頬を撫でていく。

読谷山《よみたんざん》の山田城下、久良波《くらは》港――。

海人《うみんちゅ》たちの、威勢のいい掛け声が飛び交い、交易に向かう船の、荷積みが行われていた。奄美の島々を経て、大和、九州から「南島」と呼ばれている島々を巡り、交易をしてくる予定だ。

山田グスクの若按司真牛《まうし》は、家臣の瀬名波《せなは》と共に、その荷役作業を眺めていたが、その時、背後の崖上《がいじょう》が、にわかに騒々しくなった。

(何だ?)

と、真牛は振り返った。

瀬名波も、そして海人たちも、荷役作業の手を止めて、振り仰いだ。

馬蹄《ばてい》が乱れ、山道を、数騎が駆け抜けて行ったようだ。

崖上は緑の山並《やまなみ》が緩やかに波打ち、その一角に、山田グスクの石垣が白く覗いている。

駆け馬は、グスクへ行ったのだろう。

「何かあったのかな？」

真牛は呟いて、瀬名波を振り返り、

「ともかく戻ってみよう」

と、顎《あご》で促し、海人たちに別れの手を上げて、港から緩やかに曲がりながら、崖上へ続いている石坂道を、二人は、大股に登っていった。

半分ほど登ったところで、上から慌ただしく駆け下りてくる者があった。

「わ、若《わか》ーッ、若ーッ！」

と、大きく手を振り、叫びたてながら来るのは、家僕《かぼく》のジラー（次良）だ。

「た、た、大変だーッ、大変だーッ！」

急坂をつんのめらないように、トト……と足元を見ながら、ジラーは手を頭上に振り回しつつ駆け下りて来る。とかく、そそっかしく、騒々しい若者だ。まだ十五そこらである。

「何だ？」

真牛と瀬名波は、立ち止まって、待ち受けた。

真牛は当年、二十歳になったところだ。スラリと背が高く、引き締まった偉丈夫《いじょうぶ》である。布帯《ぬのおび》に、刀を一本差している。

一方の瀬名波は、背は真牛より低いが、肩幅は広く、ガッシリした体躯《たいく》。こちらは二十四、五になっている。童名《わらびな》はカマダー（蒲戸《かまど》）。今はその出自《しゅつじ》の地名、瀬名波で呼ばれている。

瀬名波村は読谷山の西方、残波岬の台上にある。残波岬はこの当時は「大北崎《おおにしざき》」とか「崎枝《さきえだ》」（オモロでは「さきよた」）と称されていた。

東西南北――東は「あがり」、西は「いり」、南は「はえ」、北は「にし」という。読谷山は中山国の北辺なので「大北《おおにし》」とも呼ばれていることは、前々章察度王のところで見た。大北の「大」は大小ではなく、距離のことで、中山の北の端つまり奥の意である。

残波岬はその大北の岬なので、「大北崎」なのであった。「崎枝」というのは単に岬のことである。

その瀬名波も、真牛の刀よりはやや短めだが、一本差していた。二人とも藁草履《わらぞうり》を履いていた。

駆け下りてくるジラーは無腰《むごし》だ。まだワラバー（子供）なのだ。裾は脹脛《ふくらはぎ》までの芭蕉の野良着に藁縄《わらなわ》の帯、こちらは裸足《はだし》だ。

崖道《がけみち》に待ち受ける真牛の足元へ、倒れ込むように駆け込んだジラーは、ハァ、ハァ

……と息を切らして真牛を見上げ、

「い、い、い……」

言葉を詰まらせ、目を白黒させて、じれったそうに背後のグスクへ、手を打ち振った。余程、仰天《ぎょうてん》しているのだ。

「落ち着け、ジラー。一体、何だ」

「ウ、ウー……」

ジラーは飛び出す心臓を抑え込むように胸に手を当て、そして、食べ物を呑み込むように、息を呑み込んでから、

「い、い、一大事ですだ、若《わか》。て、て、天下が、ひ、ひ、ひっくり返った」

と、叫んだ。

「何だと?」

「ひ、ひっくり返ったと。て、て、天下が……」

「どういう事だ」

「い、い、今――」

ジラーはハァハァ息を弾ませながら、背後の森、グスクの方角へ後ろ手を差し出して、打ち振った。

「い、今、グスクに、うら、うら、浦添から、早馬《はやうま》が来て――」

風に乗って聴こえてきた、乱れ馬蹄は、それだったのだ。

「うむ。浦添からの早馬が、何と？」

「ぶ、ぶ、武寧王《ぶねいおう》様が討たれた、と」

「何？　武寧王が討たれた？」

真牛は目を剥《む》いて、崖の上を見上げた。

「そ、そ、そうじゃ、そうじゃ、そうですすじゃ」

ジラーはまだ動顛《どうてん》して、舌の根も合わず、要領を得ない。

「一体、誰が武寧王を討ったというのだ」

「さ、さ、佐敷の小按司《こあじ》ですじゃ。さ、さ、佐敷小按司が、て、て、天下を、に、に、握ったとじゃ」

「佐敷の小按司が、武寧王を討ったというのか」

「そ、そうですじゃ、そうですじゃ」

「何と……」

真牛は息を呑んで、瀬名波を振り返った。

瀬名波も愕然と、真牛を見上げた。

「あ、按司添《あじそい》の前《めー》が、お父上が、わ、若を呼んで来いと……」

ジラーは気忙《きぜわ》しく、グスクのある崖上を振り仰いだりしながら、手を打ち振った。

一瞬、呆然としていた真牛は、しかし、すぐに気を取り直し、

「分かった」

と、頷いて、石坂道を飛び上がるように、大股で駆け上がった。瀬名波、ジラーが後を追った。

三人は森の中の岩山に構えた、山田グスクへの石段を駆け上がった。

――明暦《みんれき》の永楽三年（一四〇五）二月であった。

2

大北《おおにし》＝読谷山は、真栄田岬東南山中の山田グスクを中心に、北は海岸沿いの谷茶《たんちゃ》、仲泊《なかどまり》から、南は大北崎（崎枝）とも呼ばれる残波岬まで広がっていて、山田按司の領下であった。

山田グスクのある山田村は読谷山村とも呼ばれ、従って山田グスクは読谷山グスクとも称され、山田按司はすなわち読谷山按司でもあった。

読谷山は「ゆんたんざ」と呼び、「ゆんたん」は「読谷」、「ざ」は尾称で「座」、すなわち場所のことだが、山国でもあるところから、「座」を国の意もある「山」に代えて「読谷山」と当てたのである。オモロ歌では「よんたむ（も）さ」と表記している。

地名の由来は不明だが、後年来琉した大和僧袋中《たいちゅう》（後に「上人《しょうにん》」）は、その著『琉球往来』で「四方田狭《よもたざま》」と訳している。山地帯で田畑（平地）は狭い（小さい）意である。

ただ、これは山田（読谷山）グスクのある山田一帯の山地にちなんだ名付けで、真栄田岬と残波岬の間の長浜に注ぐ長浜川の以南、前々章で見た、察度王の初期の進貢使者をつとめた泰期《たいき》の宇座村から続く地は平坦地が広がっている。

山田（読谷山）グスクは、真栄田岬北岸の根方《ねかた》、久良波港の背後の山中、ちょうど真栄田岬と多幸山《たこうやま》の中頃、標高およそ九〇メートルの石灰岩の岩山の先端部に築かれていた。

規模は小さいが、城壁の前面は切石積みなどの堅牢な構えで、城門は南に開いていた。殿舎は板葺きと茅葺きが数棟、厩《うまや》は城壁の外側にあり、これは茅葺きの長屋であった。久良波の海を見下ろすグスクの西側は、急崖《きゅうがい》になっており、真牛らが久良波から見上げた崖上というのは、これであった。

真牛は、その山田（読谷山）按司の跡継ぎ、すなわち「小按司＝若按司」で、グスクでは「若」と呼ばれていた。

入っていく真牛らと入れ替わるように、甲冑《かっちゅう》姿の武将と、胴具足《どうぐそく》の従者二人の三騎が出てきた。浦添から来たという早馬で、駆け去りながら、甲冑の武将はチラリと、真牛へ会釈《えしゃく》を投げた。真牛ら三人も立ち止まって、軽く礼をして、三騎を見送った。

ジラーを按司館《あじやかた》口に待機させて、

「父上——」

と、真牛は瀬名波と共に、館に駆け込んだ。

思案を巡らしているのだろう、落ち着きなく、座敷をぐるぐる回っていた父按司は、頼りを得たように、大きく頷いて、

「おお、戻ったか」

「大変なことになった。武寧王が討たれたぞ。中山は南山佐敷の巴志《はし》に乗っ取られたぞ」

興奮した口調で、吐き捨てるように言って、床を背にどっかと腰を下ろした。その父按司はもう五十になり、髪も鬚髭《しゅし》もめっきり白い物が目だっていた。

「はい、戻る道々、ジラーからおおまかなことは聞きました。おっちょこちょいのジラーだから、要領を得ませんでしたが……」

真牛は父按司の前に正座した。瀬名波はその後ろに控えた。

「うむ。語って聞かせよ」

按司は傍らに控えた老臣、白髪の久良波大親《くらはおおおや》に、顎《あご》をしゃくった。

「は——」

と、真牛が「爺《じい》」と呼んでいる久良波大親は、おもむろに、真牛に膝を回した。その皺深い赤ら顔も、興奮して強張《こわば》っていた。

山田（読谷山）グスクに駆け付けて来た早馬三騎は、「佐敷按司」巴志の使者であった。ついこの間まで、「佐敷小按司」と通称されていたが、その巴志はすでに十三年前、二十一歳で父思紹《ししょう》を継いで「佐敷按司」となり、四年前の建文四年（一四〇二）、南山東部で威勢を張っていた島添《しまぞえ》大里按司、南山王叔《おうしゅく》の汪英紫《おうえいし》を攻め滅ぼして、その島添大里グスクに入り、今や、南山の東五間切（佐敷・知念・大里・具志頭・玉城）を支配する新しい「島添大里按司」となっていた。

もはや佐敷按司ではなかったが、中山ではなお、通称の「佐敷小按司」と呼んだりしていた。この場合は「小」を文字通り「小さい」ととらえ、

「小男《こおとこ》だそうだ」

などと、多少見下《みさ》げて——。

琉球（沖縄本島とその周辺離島域）は、中山・南山（山南）・北山（山北）に分かれた「三

山時代」であるが、その三山の中では中山がもっとも勢力があり、明国との進貢貿易でも、主導権を握っていて、南山・北山を〝属国《ぞっこく》〟ほどに見下していたのであって、ことあろうに、その南山――それもその東の片隅、海辺の佐敷から出た「小按司（小男）」が、琉球の〝天下城〟たる中山王城を、一夜にして、乗っ取ったというのだから、人々が驚いたのも無理はなかった。

その「佐敷小按司」――いや「島添大里按司」、――いやいや、浦添の中山王城の武寧王を討ち、今や中山の「世の主」か。

その巴志は、中山王城を乗っ取るや、時を置かず、軍使を中山各按司のグスクへ飛ばし、按司たちの反撃を、事前に封じたのであった。

巴志は、新しい中山王に父思紹を就け、巴志自身はその輔弼《ほひつ》すなわち摂政役に就いた。

各地へ飛んだ使者は、このことを按司たちに告知した上で、

「中山の各按司は以後、思紹・巴志父子に忠誠を誓い、決して謀反せぬこと」

「従わなければ、ただちに攻め滅ぼすであろう」

というような威《おど》しを掛けて、忠誠の誓詞《せいし》を取り付けていったのであった。

まさに寝耳に水――中山王城を一気に乗っ取った巴志の軍使であるから、威しは効いた。中山の按司たちは、一も二もなく服したのであった。

こうして中山北辺の山田（読谷山）グスクにも、日を置かずに使者が駆け付けてきて、用意してきた誓紙に、山田（読谷山）按司の署名、花押《かおう》を求めたのであった。抗《あらが》いようもなく、山田（読谷山）按司は恐れ入って、促されるまま署名した。鎧姿の軍使は受け取って確かめると、小具足の従者へそれを渡し、従者はそれを丁寧に、長筥《ながばこ》に収めた。

「屹度《きっと》、申し渡したぞ。近々のうちに浦添へ登り、新しい御主加那志前《うしゅがなしまえ》（王）に拝謁《はいえつ》して、直《じか》に忠誠を誓い、ご指示を仰ぐように――」

使者は上から押し付けるようにこう言い渡して、慌ただしく立ち去ったということであった。

「近々のうちに登城せよとのことであるが、天下が引っくり返ったのだ。荏苒《じんぜん》としてはおれん。ともかく、どういうことになっているのか、お前、これからただちに浦添へ行って、様子を見てこい。探索だ」

山田按司は真牛に命じ、

「どのような浦添攻めだったか、城下でいろいろ聞いてくるのだ。しかし、向こうは気が立っていようから、怪しまれないよう、さし当たっては秘かにだ。あらぬ疑いをかけられてはならぬ。まだ敵か味方か、定まらないうちはな。――いや、今は敵に紛れもないがな……」

と、付け加えた。

「分かりました」

顔を引き締めた真牛は、打てばひびくように立ち上がった。

真牛というのは童名《わらびな》であった。

彼は三男であったが、にもかかわらず、按司の跡継ぎとなっているのは、長男がグスク（按司）を継ぐのを望まず、南部へ出て行き、中城伊舎堂《なかぐすくいしゃどう》の富農の聟《むこ》となって農業に勤《いそ》しみ、二男は早世《そうせい》したので、三男の真牛が後継ぎとなったのであった。

ふだんは「若按司」「若」と呼ばれたが、通り名を「護佐丸《ごさまる》」ともいった。

この通り名は、「三男」ということと、山田按司「三代目」の三が掛けてある。すなわち三男・三代なので「御三《ぐさん》」、それに敬称の「丸」をつけて、「御三丸《ぐさんまる》」と呼ばれ、それがいつしか「ぐさまる」に略称され、「護佐丸」と当てられるようになったのであった。

おととし、十八の時に、ニービチ（結婚）をし、すでに一児の父となっていた。妻は仲泊村長《むらおさ》の娘で、名はウサ。嫁いできた時は十六の初々しい娘であったが、彼女もはや一歳児の母であった。

ほどなく――。

山田グスクからの崖道を、三騎が慌ただしく駆け抜けて行った。

真牛に続いて、瀬名波とジラーであった。

このころ、有力な按司や、その重臣たちは、大和との交易で、足長く、姿も凛々《りり》しい大和馬《やまとうま》を求めて乗り回し、それは按司たちの威勢を示すものともなっていた。

オモロ歌に、

知花《ちはな》、在《お》わる
目眉《めまよ》、清《きよ》ら、按司《あんち》の
…………
大刀《かたな》よ
掛《か》け差《さ》し、しよわちへ
腰刀《こしかたな》よ
掛《か》け差《さ》し　しよわちへ
山羊皮《ひぎやかわ》　草履《さば》
打《う》ちおけ履《く》み　しよわちへ
馬曳《うまひ》きの

御荷駄曳《みちやひ》きの、小太郎《こたら》
真白馬《ましらば》に
金鞍《こがねくら》　掛《か》けて
前鞍《まえくら》に
太陽《てだ》の形《かた》　描《ゑが》ちへ
後鞍《しいるくら》に
月の形《かた》　描《ゑが》ちへ

○

綾毛馬《あやきうま》に
綾木鞍《あやきくら》　掛《か》けて
綾木鞭《あやきぶち》　取らちへ
追《お》ゑたてゝ　走《は》りやせ　ゑ　やれ

——などと謡われている。

真牛——いや、もう二十歳にもなっていたことだし、通り名もほぼ定着していたので、以後は「護佐丸」と呼ぶが、その護佐丸の馬も、そんな栗毛《くりげ》（綾毛）の大和馬であったが、瀬名波とジラーは分相応《ぶんそうおう》に、在来の島馬《しまうま》であった。

島馬は、足が短くて太く、寸詰まりな体躯《たいく》に、頭（首）は不釣り合いに大きく、大和馬よりも黒々と豊かなタテガミは、作り物を被せたようであった。

「加那志《かなし》」と名付けられた護佐丸の大和馬は、大波がうねり、大鷲が飛ぶようにゆったりと駆けたが、瀬名波とジラーの島馬は、歩幅が小さいだけに、引き離されまいと、大きな頭（首）をガクン、ガクンと、打ち振り打ち振り、懸命に従《つ》いていく。

愛馬「加那志」の背に、ゆったりと身を預け、一体になって駆けながら、護佐丸は、三年前に初めて会った武寧王の、たるんだ白い顔を思い浮かべ、それから、まだ会ったことはないが、佐敷の巴志による武寧王討伐＝中山乗っ取りの意味へ、考えを巡らせた。——

3

護佐丸が浦添グスクに登り、初めて武寧王に謁《えっ》したのは、四年前——建文三年（武寧六年、一四〇一）であった。

十六になったので、お目見《めみ》えに、父に伴われて行ったのである。

もっとも、浦添グスクを見たのはそれが初めてではなかった。十一、二歳の頃、「年《ねん》貢《ぐ》」を納めに行く父に従い、「見学」に登った。山田グスクの領域は山林地帯なので、年貢は薪《まき》や建築用材などが主であった。家臣や人夫たちとともに、馬や荷車に材木や薪を積んでいったのである。

しかし、その時は、王城《おうじょう》に登ったのは父とその側近らだけで、護佐丸は瀬名波ら家臣とともに、外から見上げただけであった。切石積みの高い城壁がうねうねと巡った王城の、厳めしい石の櫓門《やぐらもん》などを置いた、その広壮な構えに、護佐丸らは圧倒されたものであった。

今回の浦添登りも、材木などの年貢を納めつつの、護佐丸のお目見えであった。豪壮で威圧的な石門前には、長鎗《ながやり》を立てた門衛《もんえい》が並び立ち、咎《とが》め立《だ》てるように、厳めしく睨みつけている。

あらかじめ、山田（読谷山）按司父子の登城のことは連絡されており、当日も先に臣下が先行して到着を告げ、城内にもお目見えの段取りは取られているはずであったが、父の後から、前こごみに石門をくぐって行った時は、「王城」に入っていく緊張で、不《ふ》甲斐《がい》なくも、足が地につかず、浮くような心地だった。

（しっかりしろ！）

と、自分へ叱咤《しった》し、気持を入れ替え、身を引き締めた。

白い石段の道を登って行くと、また石の内門がある。

それを抜けると、広い御庭《うなー》があり、その向こうに広壮な主殿（正殿）がデンと構えている。

その主殿は瓦葺きであった。

当時のグスクの殿舎はほとんどが板葺き・茅葺きであったが、浦添グスクと、勝連グスクの二城の主殿は瓦葺きで、それ自体が、グスクの威勢を示すものだと、護佐丸は父から聞いていたことだ。勝連も中山のうちだが、東の海へ突き出した長い半島は、独立した島国のようになっていて、三山の進貢貿易とは別のルート、すなわち倭寇などと結んだ交易を中心に独自の道を歩み、栄えているということであった。

浦添グスクの瓦は、遠く、高麗国の系統であるともいう。浦添グスクから出土した灰色の瓦には、「癸酉年高麗瓦匠造《みずのととりどしこうらいがしょうつくる》」とか「大天《だいてん》」「天」の銘を刻んだ大瓦があり、古く、高麗との通交のあったことが、これで知れる。

勝連グスクと浦添グスクには、古い瓦焼造場があったとも言われている。

高麗との通交は、正式には察度王の晩年、洪武二十二年に始まるが、その三年後には「高麗国」は滅びて朝鮮国となるので、高麗国とのそれは、わずか三年であったことは、前章で見た通りである。

浦添に伝わった高麗瓦は、その通交以前、英祖王代といわれていた。

その頃は、高麗半島沿岸を荒らし回っていた倭寇の時代であり、琉球はその倭寇の〝闇《やみ》通交〟の取引先だったのである。

倭寇は高麗半島沿岸を荒らし、掠奪をほしいままにしていた。多くの高麗人を攫《さら》ってきて、日本、琉球を含む「南島」諸島に「奴隷」として売り飛ばしていた。琉球に売り飛ばされてきた、それら被虜《ひりょ》高麗人の中に、瓦匠《がしょう》がいて、彼（ら）によって焼成《しょうせい》された瓦が、すなわち琉球に伝わっている「高麗瓦」ではないかと見られている。

その浦添王城の瓦葺きの主殿へ、護佐丸は父の後から、腰をこごめ、身を引き締めて足を踏み入れた。

そして、烏沙帽《うさぼう》を被って玉座に着した武寧王に、拝謁したのであった。

玉座の御簾《みす》は、巻き上げられていた。

父が、王代の安らかなるを寿《ことほ》ぎ、年貢を持参したことを述べると、

「うむ。大儀《たいぎ》である」

と、武寧王は犒《ねぎら》いの言葉を述べたが、それは謁見《えっけん》の決まり文句であり、それも濁声《だみごえ》で、感情のこもらない、事務的な口調であった。

父が挨拶している間、護佐丸は手を付いたまま、顔を上げて、厳粛な面持ちで、武寧王を見上げていた。

背後に、高団扇《たかうちわ》を掲げた、赤い振り袖の小姓《こしょう》二人を立たせ、胸に刺繍《ししゅう》を縫い付けた明国仕立てのけばけばしい皮弁服《ひべんふく》（王服）に身を包み、玉座にゆったりと座した武寧王は、でっぷりと太っていた。

白い顔に、半白《はんぱく》の鬚髭《しゅし》が垂れていた。目は瞼が垂れた眠そうな半眼《はんがん》で、何だか、不機嫌そうに見えた。四十一歳で即位して六年目だから、四十七になっているはずであった。

父王察度が長寿で、薨《こう》じたのは七十五。在位は明国冊封前を含めて実に四十六年にも及んだ。そのため、武寧は長く世子《せいし》のまま王殿の奥で暮らし、即位は遅れたのであった。

王殿奥での長い世子暮らしは、政事に煩わされることもなく、花の侍女《じじょ》たちに傅《かしず》かれ、贅沢三昧《ぜいたくざんまい》であった。

すでに正妃《せいひ》の他に側室《そくしつ》二人を置き、子が五人も生まれていた。酒と美食、そして花と競う侍女たち……と、まさに酒池肉林《しゅちにくりん》の態《てい》で、色白く、でっぷり肥えていたのは、そんな自堕落《じだらく》な暮らしの姿ともいえようか。

中山王国を統《す》べる王として、毅然とした姿を想像していた護佐丸は、そのふにゃっと、だらけた姿に、少なからぬ失望を覚えたことであった。

ひと通り挨拶を述べた父按司は、平伏したまま左手で後ろの護佐丸を示し、

「後ろに控えおりまするのが、わが跡継ぎの護佐丸にございます」

と、紹介した。

護佐丸は、ハッとして、平伏の身を、額が床に突くほどに深くした。

「十六になりましたので、お目見えに引き連れて参上いたしました」

と、父は述べた。

「ほう、護佐丸とな。うむ、護佐丸、面を上げよ」

よく聞き取れない濁声が落ちたが、まぎれもなく、玉声《ぎょくせい》である。

護佐丸は、畏れ入って、平伏したまま、身を縮めた。

「これ――」

と、父が振り返って、小声で促した。

護佐丸は両手をつかえたまま、顔を軽く上げ、上目遣いに、玉座を見上げ、恐懼《きょうく》して、

「山田の、護佐丸にございます」

と、カラカラになった喉から振り絞るように、父から教わっていた通りの挨拶を述べて、平伏した。声が裏返り、恐らく黄色く聞こえたであろうと、ひれ伏した身に、じとーッと、冷や汗が噴《ふ》いた。

「護佐丸。うむ、よい名じゃ。励《はげ》めよ」

気怠《けだる》そうな声が落ちてきて、

「はッ！」

と、さらに平伏すると、

「大儀であった」

と、〝決まり文句〟の濁声が落ちて、玉座が動いた。

（えッ？）

と、驚いて、そっと顔を上げると、王は退座のために、立ち上がり、もう背中を向けて、奥へ入っていき、二人の小姓が、慌てて後に続いて行くところだった。

それだけ……？

護佐丸は何やら肩透《かたす》かしを食った思いで、父の横顔を見た。父は王の応対を別に気にした様子もなく、護佐丸を振り返って頷いた。引き揚げよう、という合図であった。

父は居並んでいた高官らに頭を下げて、立ち上がると、こごみ腰に下がって廊下へ出、そこで膝を折り、手を突いて辞去の礼を行なった。護佐丸も父に倣《なら》った。

主殿を父の後から退出した護佐丸は、王に面謁したという晴れがましさは、湧かなかった。

それどころか、肩透かしを食ったようなチグハグさと、何だか、だらッ、と緊張が解けて、砂を噛むような索漠《さくばく》とした気持になっていた。

遠い中山の北辺から、気持を引き締めて、お目見えに行ったというのに、そして冷や汗をドッとかきながら、晴れの御前《ごぜん》——とばかり、蛙《かえる》のように平伏拝謁《へいふくはいえつ》したのに、いかにも、

「励めよ」

という〝励まし〟と、

「大儀であった」

と、一応は犒いの言葉はあったものの、それは何の労《いた》わりも、温もりも感じられない、決まり文句を事務的に述べたに過ぎないものに感じられたことだった。しかも、その白くたるんだ表情はいかにも退屈そうで、薄目《うすめ》で見下ろし、落とした言葉も濁声のために、何の人間味も感じられなかった。

反発のようなものさえ、湧いてきたが……しかし、仮にも相手は王であり、人間味が感じられないというのは、むしろ王の威厳というものであって、自分ごときが反発心を抱くなどは不遜《ふそん》であろうと悟って、護佐丸はブルッと身体を揺すり、気持を立て直したことだった。

佐敷按司の巴志が、島添大里按司の王叔《おうしゅく》汪英紫を討ち、南山の東半《とうはん》をその手に収めたのは、この翌年――建文四年（武寧七年、一四〇二）一月であった。

しかし、中山では、それを南山の内訌《ないこう》として、対岸の火事ぐらいに見ていたのだった。

そして、その年、明国の四年にわたる戦乱「靖難《せいなん》の変」も終結し、洪武帝の四男、北《ほく》平《へい》（北京）の燕王《えんおう》が、甥の建文帝（恵帝）を滅ぼし、太宗《たいそう》（後に成祖《せいそ》）を称して元号を永楽とし、永楽帝となった。

琉球中山の進貢も、翌年（永楽元年、一四〇三）、実に四年ぶりに再開した。

長年、進貢使者をつとめてきた亜蘭匏《あらんほう》は、洪武帝の晩年、察度王の明朝への要請により、唐営王相府《とうえいおうしょうふ》の最高位、長史《ちゃぐし》に叙《じょ》せられ明国の正五品を賜わり、かつ王の顧問たる初の「王相《おうしょう》」に任じられたが、老年により隠居し、「靖難の変」の間に亡くなった。

再開した進貢は、亜蘭匏に替って唐営人の長史王茂《おうも》が、これを担った。

南山の「王代行」汪応祖《おうおうそ》も使者を派遣し、「山南王」の冠帯衣服の下賜を求めた。汪応祖は故「山南王承察度」の従弟《いとこ》で、承察度王に子がなく、承察度王の「遺命《いめい》」により国事を代行しているとして、襲封《しゅうほう》を請《こ》うたのである。永楽帝はこれを許した。

汪応祖は、巴志が滅ぼした汪英紫の二男である。承察度王は汪英紫に圧迫されて朝鮮へ亡命し同地で客死《かくし》したかの「承察度」に他ならず、しかしこの内訌は明国の知らぬことであり、それゆえ山南王弟を名乗り、山南王の「後継者」としてアピールしたのである。

島添大里按司となった佐敷按司巴志は、このことを容認した。明国への聞こえもあったが、巴志の思惑は別にあった。

汪英紫を討った巴志は、南山の後始末《あとしまつ》には関心がなかった。彼の視線は上へ——すなわち中山武寧、そして「天下統一」へ向いていたのである。

4

武寧は再開進貢の翌年、永楽二年（一四〇四）二月、三吾良亹《さんぐるみ》（三五郎尾とも表記）を明国に派遣、父察度王の訃《ふ》を初めて告げ、自らの襲封を請うた。三吾良亹は前年の再開進貢の使者もつとめた。

三吾良亹は、朝鮮に亡命し同地で客死した前南山王承察度の従子《じゅうし》（甥《おい》）であった。ということは、汪応祖の又従弟《またいとこ》ということになる。

洪武二十五年（察度四十三年、一一九二）、琉球から初めて、明の国都金陵《きんりょう》（南京）の大学「国子監《こくしかん》」に留学生六人が送られた。すなわち「官生《かんしょう》」の始まりで、明国語の習得、諸制度、礼式などを、ほぼ三、四年間、全費用は明国持ちで学ぶのである。

この第一回「官生」は中山から三人、南山から三人選ばれて送られたのであるが、南山の三人の中に、三吾良亹もいた。

南山では承察度王が亡命し、汪英紫が「下《しも》の世の主」として事実上の王権を掌握し、明国に「王叔」の名で進貢をはじめてすでに五年を経ていたが、三吾良亹は承察度王の甥であるから、承察度の叔父の汪英紫にも親族であり、そのまま南山の王族として安堵《あんど》されていたのであり、かなり優れた若者として知られていて、晴れの第一号官生に抜擢《ばってき》されたのであった。

彼らは三年間学んで、洪武二十九年（武寧元年、一三九六）四年ぶりに帰国した。

そして、「靖難の変」で琉球の明国進貢が四年中断した後、彼は中山の再開進貢の使者となったのである。

察度王の晩年は、明国から進貢船が支給され、中山と南山はそれを共用し、北山も便乗した。船は那覇港を発着し、唐営久米村の明人たちが三山の進貢業務を担うという状況下で、進貢に関しては相提携し、使者は重なったりしていた。

そうした連携において、晩年の察度王は、恐らく汪英紫に頼まれてであろう、朝鮮に亡命した南山王承察度の琉球送還を朝鮮王に要請したのである。

しかし、明国の戦乱（「靖難の変」）で、四年余も進貢が停止した中で、佐敷按司巴志による島添大里按司の汪英紫討伐があり、南山は大きく揺らいだ。

三吾良亹もこの巴志による〝南山の変〟で、中山に移ったのである。汪英紫に近かったので、中山に保護を求めたのかも知れない。

明国語に堪能の上、才気に富む三吾良亹が来たことを中山は歓迎し、また唐営王相府の長史王茂も三吾良亹を高く評価して、再開進貢の使者に任じたのである。以後、三吾良亹は十数年にわたり、中山の進貢使をつとめるのである。外交手腕にも長《た》けていたことが、このことでも分かる。一度は南山の使者にも立っている。

武寧が三吾良亹を遣わして父王察度の訃を告げ、武寧の冊封を求めたのを受けて、永楽二年（武寧九年、一四〇四）、太宗（成祖）永楽帝は、行人時中《こうじんじちゅう》を、琉球冊封使として派遣する。冊封使《さくほうし》（琉球では通称「さっぷうし」、公称「冊封天使」「天使」という）の派遣はこれが初めてである。

明国は永楽帝によって、とくに対外策が積極的に進められていた。

永楽帝は「靖難の変」で帝位を〝奪った〟のであるが、このことへの非難を避け、自らの正当性を示すために、自分こそ父洪武帝の後継者であるとして、建文帝の抹殺とともに「建文」の元号を廃棄して「建文一～四年」はなかったことにして「洪武三二～三五年」とした。強弁《きょうべん》である。

そして、自らは建文帝が藩王の勢力を削減する削藩策《さくはんさく》を怒って挙兵し、「靖難の変」を起こしたにも拘わらず、帝位に就くや、同じように、藩王の勢力を抑え込み、帝室内では宦官《かんがん》を重用して、帝権《ていけん》を強化し、また積極的な対外政策を推進した。

対外的には、永楽三年から宦官《かんがん》の鄭和《ていわ》に大艦隊を率いさせて、数度にわたる南海遠征に赴かせ、同四年にはベトナム（安南）を征服、八年から五度もモンゴルに親征《しんせい》するのであるが、琉球への冊封使派遣も、その積極的な対外政策の一環にほかならなかった。

初の琉球冊封使を行人時中とするには異論もあるが、今は通説に従って時中を初の冊封使として見ていく。

行人というのは前にも見たように、外国に使する外交官のことである。後年の冊封使は、正使・副使の二使で、明代は正使が給仕中《きゅうじちゅう》（行政六部に対応し誤りを正しチェックを行う。吏・戸・礼・兵・刑・工の六科からなる）、副使は行人がつとめたが、この最初の冊封使は行人時中の名しか分からない。

また、後年の冊封使一行は総勢五百人前後にのぼり、大船二隻に乗り込んできた。季節風が頼りの航海なので、彼らの琉球滞在は約半年にも及んだ。

この冊封使一行の船は、明国皇帝から琉球王へ下賜《かし》する皮弁冠服《ひべんかんふく》（王冠王服）を奉載《ほうさい》して来るので、琉球では「御冠船《おかんせん》」（「うかんしん」）と呼んだ。冊封使時中の時の一行の人数や滞在期間などは不明であり、「御冠船」の仕立てもなかったようで、二十年後の、尚巴志王冊封の時が「御冠船」の最初とされている。

武寧王の冊封使時中は、帰国する進貢船に便乗したのかも知れない。この年は二月の請封使三吾良亹のほかに、四月と十月にも中山は進貢している（十月には南山汪応祖も、武寧元年に中山の使者をつとめた隗谷《ぎこく》〔越来《ごえく》〕結制《うっち》を使者として承察度王の訃を告げ、汪応祖の冊封を請わしめている）。

時中の来琉が、「初の冊封使」というわりには、意外と簡便なものだったのではないかと思えるのは、時中がそれに任じられた経緯からもうかがえる。

彼は四川布政司《しせんふせいし》の右参議《うさんぎ》という要職にあったが、罪を得て、辺境の戍《じゅ》（国境守護）に当てられるところを、上書《じょうしょ》して罪を謝し、琉球に派遣されたのである。「行人」の肩書は、琉球へ使するにあたっての臨時的なものであった。

時中は、琉球での任務を無事に果たして、罪を許され、原職《げんしょく》（四川布政司右参議）に復したのである。

これからすると、後年の、明国の威勢を示すデモンストレーションを兼ねた冊封とは違って、この最初の冊封使時中は、免罪《めんざい》をかねて、遭難等生命の危険さえある、遠い外洋任務に派遣されたのであり、つまりは「戎《じゅ》」のうちでもあったようだ。

とはいっても、仮にも明国皇帝の使者であるから、皇帝の名の下で、異邦《いほう》の王を、詔勅《しょうちょく》をもって任ずる、特別な任務であったことは論を俟《ま》たない。

王府史記（『球陽』）には、

《成祖（永楽帝）、行人時中を遣わし、詔を齎《もた》らして国に至る。察度王を諭祭《ゆさい》し賻《おく》るに布帛《ふはく》を以《もっ》てす、並びに武寧を封して中山王と爲《な》す》

とあり、武寧王に対する永楽帝の詔書は、次の通りであった。

詔（読み下し）

聖王《せいおう》の治《ち》、万邦《ばんぽう》を協和《きょうわ》し、継承の道、常典《じょうてん》に率由《そつゆ》す（常道から逸れないこと）。故に琉球国中山王察度、命《めい》を皇考《こうこう》太祖《たいそ》高皇帝《こうこうてい》（洪武帝、「皇考」は我が父すなわち永楽帝の父の意）に受け、東藩《とうはん》に屏《へい》（国域）を作り、克《よ》く臣節《しんせつ》を修《しゅう》す。朕《ちん》の即位に及んで、率先して誠《せい》に帰《き》す。今既に没す。

爾《なんじ》武寧は乃ち其の世子なり。特に爾を封じて琉球国中山王と爲し、以て厥《けつ》（其《それ》）の世を承《う》けしむ。

惟《おも》うに倹《けん》（謹み）を以て身を修め、敬《けい》を以て徳を養い、忠《ちゅう》を以て上《じょう》に事《つか》え、仁《じん》を以て下《げ》を撫《ぶ》し、克《よ》く兹《こ》の道に循《したが》い、海邦《かいほう》に鎮《ちん》を作り、永く世祚《せいそ》を延べよ。欽《つつし》め哉《や》。

難しいが、後半の諭旨《ゆし》は、その倨傲《きょごう》が国政を乱し、ついに按司たちからも呆れられ、「佐敷小按司」巴志の討つところとなったことに重ねれば、武寧は永楽帝の詔の諭旨ことごとくに、背いていた〝不徳の王〟ということになろうか。

冊封使時中は中山の後、島尻大里グスクに行って、前南山王承察度を諭祭し、汪応祖を冊封した。

汪応祖はここに正式に南山王に任じられたのであった。南山王に対する永楽帝の詔書は伝わっていないが、固有名詞の差し替えだけで、内容は武寧のそれとほぼ同一であったろう。

5

武寧王の冊封式典には、父の山田按司は参列したが、護佐丸は行けなかった。

明国皇帝の冊封がどのように行なわれるのか、初の琉球現地における式典なので、後学のために見ておきたいところでもあったが、あのぶよっとした印象の武寧王の「晴れ姿」を見るというのも、興《きょう》が乗らなかった。

でも、国家的な儀式であり、父からも同行するよう言われていたので行くことにし、まだ余裕もあったので、その前に「ひと稼ぎ」と、久良波船《くらはぶね》で、奄美から薩摩まで、交易に出かけた。

久良波船といっても、これは山田グスクの船で、山田グスクは他に、仲泊の港を使った仲泊船を有していた。久良波船、仲泊船と書いたが、船の構造が違うのではなく、単に港の所属の意である。

進貢の唐船《とうせん》は別にして、この時期の港々の船は、ほぼ和船の仕立てである。布帆を立てていたが、むろん櫓櫂《ろかい》も備えている。漁師たちは刳舟や「サバニ」と呼ばれる小舟を使っていた。唐船を模した小型の貨物船「山原船《やんばるせん》」はまだ登場していない。

護佐丸は一昨年、十六になってから、久良波船や仲泊船で、しばしば交易に出た。波と風に委ね、時には逆巻く荒波を乗り越えていく航海は、大自然を相手の大きな冒険でもあり、いかにも男の仕事に思えた。

彼は十歳の頃から、武芸にも励んだ。

グスクには刀鎗《とうそう》や弓に通じた〝武人〟たちがいた。彼らに付いて学んだが、天性のものがあったのか、十三、四になると、師匠の〝武人〟たちをうならせる上達ぶりを見せた。瀬名波も天性の武人で、二人は武芸では好敵手となったが、このごろは、護佐丸が一歩抜きん出ていた。

そうした〝武人〟の血が、彼を大海の冒険にも、駆り立てたのであった。

それに、奄美の島々から九州へ、行く先々の風物に接することで、新しい世界が開けた。九州では、刀や槍などの武器、胴具足や甲冑などの武具も積極的に仕入れた。鹿角《しかづの》の武《ぶ》将兜《しょうかぶと》まで買った。いつか、これを被り、颯爽《さっそう》と大和馬に跨《またが》り、いくさに出て行くのだ。三山に分かれた琉球を眺め渡して、いくさは必ず起こると、護佐丸は考えていたのだ。

奄美、九州へ至る北の海は、読谷山だけでなく、今帰仁、勝連、そして中山の船々も、交易で行き交った。島々との交易では、それらが競合し、時にはその優先権を巡って、言い争いや、小競《こぜ》り合いとなり、あわや血の雨が降りかかる際どいこともあったが、船には交渉人のような宥《なだ》め役などがいて、大きな紛争には至らずに来ていた。しかし、先の保障はないのだ。

三山対立――というのには、こういう交易を巡る競合も含まれていた。ただ、それは直接海上で行き交う中でのことに過ぎなかったが、「三山対立」の最先端といえなくもなかった。

護佐丸も一度、今帰仁船と接触し、船の舳《へさき》に立ち、大和渡りの槍をしごいたこともあるが、大柄な彼の気迫は相手を呑んで、「読谷山の護佐丸」の名は、今や海人《うみんちゅ》たちの間でも評判になっていた。

「海だけでなく、若の武芸は、広く島々でも評判になっているようですよ。読谷山に護佐丸あり、と」

と、瀬名波もニヤリと笑ったことだ。

山田グスクの者たちか、久良波船、仲泊船の者たちから噂が流れていったのであろう。しかし、武芸を学んでいたことは、海へ乗り出していく上でも、心強いことであった。

海には海賊も現われる。中山の船が、九州の近くで襲われ、何人も殺され、物資を強奪されたという海賊事件が、前にはあったという。

九州の東岸伝いに北上していくと、四国があり、島々が無数にある瀬戸内《せとうち》という内海があって、そこは海賊の巣であった。その瀬戸内海賊に、北九州の海賊まがいの海商たちが、北は対馬《つしま》や壱岐《いき》を越えて、朝鮮や中国沿岸を荒らし回り、「倭寇」として恐れられていた。

倭寇はまた南下して、薩摩から南の島々、琉球まで来たりしていた。

南下する倭寇たちは、朝鮮沿岸を襲って攫《さら》ってきた朝鮮人男女を、九州や薩南諸島、また琉球にも、奴隷として売り飛ばしたりしていた。

察度王は、その被虜朝鮮人を買い取って、朝鮮へ送還し、朝鮮王から感謝され、多大な礼物と、見返りの貿易で利益を挙げていたことだ。

そのように、海賊も跋扈《ばっこ》する海を行くのは、大きな勇気のいることであったが、琉球は海邦であり、海の男たちは九州方面まで乗り出して、交易を行なっていたことである。

風難《ふうなん》も多かった。

『南方紀伝』に、

《応永十年七月、琉球船六浦《むつうら》渡来、船中有音楽声《せんちゅうおんがくのこえあり》》

――とある。

六浦は武蔵国《むさしのくに》の南端部（現在の神奈川県横浜市金沢区）で、琉球船が漂着し、その船中から音楽が聞こえたというのである。

「船中に音楽の声あり」というのが、琉球の中・近世に盛んとなる歌三線《うたさんしん》では？　とも想像をかきたてているが、このころ三線が普及していたかどうか定かではない。

しかし、明国に通じて、すでに三十年――この間、さまざまな中国文化が琉球には入ってきていたし、那覇浮島の唐営《とうえい》には江南の閩《びん》地域を中心とする明国人が居住していて、当然ながら、彼らは故郷を偲びつつ、江南地方の音楽を楽しんでいたはずだ。二絃、三絃、笛、銅鑼《どら》、その他の打楽器類などもあったろう。すでに三線（三絃）を伴奏とした新しい歌も出始めていたのかも知れない。

王府史記には洪武年間、閩人三十六姓が来住して、本国（琉球）に礼法を制し、文教が興《おこ》り、番俗《ばんぞく》も改まり、音楽がもたらされた、とある。

中世の交易船などは、長い航海のつれづれに、碇泊中は船中で酒など酌み交わしながら、明国渡りのさまざまな楽器を演奏したり、その伴奏で歌い華やかしていたのではなかろうか。これが「船中有音楽声」と記録されたに違いない。

この応永十年七月というのは、琉球は永楽元年（武寧八年、一四〇三）で、折しも佐敷按司の巴志が、南山の島添大里按司を討ち、南山の東半を領した年の翌年であった。

武蔵国六浦まで流された船は、琉球のどこの船であったろうか。

そのように、海賊や風難の畏《おそ》れも多い北の海へ、護佐丸の久良波船は、乗り出していったのであった。

海賊との遭遇に備えて、槍（鎗）、刀、弓など武器も積んでいた。

護佐丸が乗り込む時は、山田グスクの武人たちも随伴する。海人たちは、文字通り〝大船〟に乗った気持であった。

今回、護佐丸の乗り込んだ久良波船は、奄美大島を越え、大和からは「南島」と呼ばれている島々に、風波を避けて避難したりしながら、九州まで行った。布、陶器・木器《もっき》などの生活用品、それに武器・武具などを求めるのであった。こちらは明国進貢によって琉球内のグスクに流通していた明国の陶磁器などを積んでの交易だった。

幸い、倭寇には出会わなかったが、九州東方で逆風に遇《あ》った。

船には食糧も水も貯えがあったので、何とか凌《しの》げたが、数日流された。

海が穏やかになり、陸地が見えたが、大和のどこかであろう。しかし、上陸は諦めた。夏の嵐の季節でもあり、二、三か月の予定が、もう半年近くにもなるので、読谷山ではさぞ心配しているだろうと、急ぎ帆を張り直し、舵を南へ回し、帰国を急いだ。

帰りも大風が出て、薩南の島や、奄美海峡に避難したりしながら、その年の秋、ほぼ一年ぶりに帰国した。

明国の冊封使時中一行は、中山、南山王を冊封して、すでに帰国していた。

護佐丸の妻ウサには男子が産まれていた。護佐丸十九歳、もはや一児の父であった。

護佐丸は白衣にくるまれた、赤ら顔の赤児《あかご》を抱き上げて、

「よしよし、すぐお前にも名をつけてやるぞ。わが家の冊封式《さっぷうしき》だぞ」

と、座を華やかせ、

「羽目《はめ》を外すでない。冊封などと、畏れ多いことを、茶化《ちゃか》すでないぞ」

と、父にたしなめられたが、その父も、護佐丸の懐の孫の赤い頬をなでなでして、「おう、おう」と、頬を緩めっぱなしで、「どれどれ」と抱き取って、「おう、おう」と頬を撫でる好々爺《こうこうや》ぶりであった。

待望の冊封を受けた武寧王であったが、その翌年――つまり今年（永楽三年、一四〇五）。あっさりと、「佐敷の小按司」巴志に討たれ、中山王城（浦添グスク）を横奪《おうだつ》されてしまったのである。

武寧は洪武二十八年（一三九六）、四十一歳で父察度を継いで即位したが、我儘三昧な長い世子暮らしの延長の上に、いよいよ「天下は我が物ぞ」とばかりに驕りたかぶり、ために、国政は乱れていった。

歴史的に、偉人英傑、あるいは成功した創業者の二代目もしくは三代目は、洋の東西を問わず、往々にして凡愚《ぼんぐ》あるいは驕慢《きょうまん》で、先代の遺徳《いとく》を食い潰した場合が多い。それは父（初代）がその才気を生かし、努力を積み重ねて道を切り開いていったのに対して、二、三代目はその成功の上に胡坐《あぐら》をかき、自らの努力を積み上げていかなかったからである。

察度は、英祖系末代の玉城・西威の代に、国が乱れていくのを見て立ち上がり、西威王を廃して英祖系を断ち、浦添按司となって、中山を纏め上げていくのに、使命感を燃やした。

そして、明国に通じて進貢貿易を盛んにし、また日本、朝鮮にも通じた。まさに、国を開き、盛り上げていく〝創業精神〟に溢れていたといえる。「万国の津梁」琉球の基礎は、実に彼が切り開いたのであった。

国は富み栄えた。

国人も彼を偉大なる王として讃え、ゆえに、その在位は脅かされることもなく、実に四十六年という長期に及んだのである。晩年には、宮古・八重山が中山に入貢して、版《はん》図《と》は大きく広がり、南山、北山をはるかに引き離したのであった。

しかし、その英傑察度王も、後継者づくりでは失敗したのである。

自らがあまりにも長期にわたり〝主人公〟であり過ぎ、つねに前面に立って国を導くことに邁進したために、わが子を後継者として育てていく、いわゆる〝帝王学〟を叩き込むのをおろそかにした。しかも、その晩年は、自らに、長期在位の驕りが出た。

己が築き上げた「成功」の櫓《やぐら》、高楼を築いて、その上に立ち、〝我が天下〟を眺め渡して、胸を反らしたのである。

「数丈の高楼」とはどれくらいの高さだったのだろう。一丈は約三メートルであり、数丈が四、五丈なら、十三、四、五メートルというところか。

自らが、そんな驕りに酔い痴《し》れてしまったゆえに、王殿の奥で、世子として贅沢三昧、酒池肉林のだらけた生活を送る武寧を引き締め、教え諭すこともしなかったのであろう。

だが、何といっても、武寧は四十前のれっきとした中年の〝大人〟であり、妃も側室もいて、子まで何人もいる父親なのである。今さら、子供を諭すように教え導いていく存在ではなかった。

この偉大な察度の子で、自分を見て育ってきたのだから、何を言わずとも、息子も我が切り開いた道をよく繋《つな》いで国を治めていくであろうと、何の疑いも抱かず、手取り足取りに教えていくことを、察度はしなかっただけである。

しかし、武寧は凡庸であって、父の偉大さを咀嚼《そしゃく》していくことをせず、その父が開いた成功の上に、胡坐をかいていればよかった。何をしなくても、自分は「天」が与えた〝絶対〟的存在であり、周囲は自分をチヤホヤ持ち上げ、ペコペコ阿《おも》ねて、無条件に尊敬してくれるのだから。

「成功」は驕りを生み、驕りは亡びにつながる。

高楼に登って、天下を見渡していた晩年の察度も、ハブに左手を咬《か》まれてしまう。あたかも、驕りに対する戒告《かいこく》のように。

咬まれた左手は腫爛《しゅらん》したため切断、法司（後の三司官）は王の手がこのようでは諸礼も行なえないだろうと、己が手を断ち切って献じ、医者を召して王の手に繋がしめた。そのため、王の左手は色黒く、全体と異なっていたと、前に見た。

そして、このような〝外科手術〟が当時、本当に行われ、そして成功したかどうかは分からないとも述べたが、恐らくこのハブ咬傷《こうしょう》が、彼の死期を早めたのではあるまいか。ハブに咬まれたという二、三年後――洪武二十五年（一三九二）十月五日、察度王は七十五歳で薨《こう》じたのである。

6

世子時代、傲慢、贅沢、そして酒池肉林の自堕落な生活を送ってきた武寧は、即位するや、そのまま剥き出しの傲慢《ごうまん》さで、国政に臨んだものの、怠惰で国政に身を入れずに放置し、ために政綱《せいこう》は乱れた。

心ある側近、高官らは眉をひそめ、遠回しに諌言《かんげん》したが、そういう重臣らは、側近佞臣《ねいしん》の讒謗《ざんぼう》で追い出され、または罪に落とされ、無情に処断された——と、王府史記は語る。

《武寧王、立給《たちたまい》テヨリ、父ノ遺命《いめい》ニモ違《そむ》キ、内色《ないしょく》ニ荒《すさ》ミ、外禽《がいきん》ニ荒ミ給イテ、群臣ノ賢否《けんぴ》ヲモ不辨《べんぜず》、百姓ノ憂苦《ゆうく》ヲモ不顧《かえりみず》。只《ただ》、日夜ニ逸遊《いつゆう》ヲ事トシテ、前烈《ぜんれつ》（先代の功績）ヲ地下ニ羞《はずか》シメ、朝暮《ちょうぼ》ニ奇物《きぶつ》ヲ翫《もてあそび》テ、傾廃《けいはい》ヲ生前《せいぜん》ニ致《いたさ》ントス。見人《みるひと》眉ヲ顰《ひそ》メ、聞人《きくひと》唇ヲ翻《ひるがえ》ス。是ニ依《より》テ、諸侯《しょこう》、背者《そむくもの》多シ。》

——と、『中山世鑑』は口を極めて難じている。

これを承けて、『中山世譜』『球陽』も次のように書く。

《武寧、荒淫度《こういんど》なし。諫《いさ》むる者之《これ》を罪《つみ》し、諂《へつら》う者之を悦《よろこ》ぶ、先君《せんくん》の典刑《てんけい》を壊覆《かいふく》す、国《こく》人怨《じんえん》ずれども敢《あえ》て言わず》

——と、まったく悪しざまである。

むろん、これは彼を滅ぼした巴志を正当化するために、先王を非道《ひどう》とする易姓革命《えきせいかくめい》にはつきものの評価でもあろうが、武寧王の場合は実際に、道に外れた王として、明国の永楽帝からも叱責されている。

永楽三年（一四〇五）二月——武寧王は、去年の冊封に対する謝恩使を派遣した。使者は三吾良亹《さんぐるみ》。かれは三回目の使者である。

この時、武寧王は、永楽帝に閹者《えんじゃ》数人を献上した。

閹者というのは、宮刑《きゅうけい》により去勢《きょせい》した男子のことで、中国の宮廷では古くから、後《こう》宮《きゅう》の難《なん》、風紀の乱れを断つために、宮廷には閹者を入れて、宦官《かんがん》として用いた。

彼らは後宮で女官《にょかん》の監督、宮中《きゅうちゅう》の諸事《しょじ》に携わり、中には天子《てんし》（皇帝）の側近として政治にも関与、それによって王朝の難を招いたりした。

とくに後漢《ごかん》、唐《とう》の末期には宦官権臣《かんがんけんしん》の弊害が大きく、王朝衰退の原因ともなったが、この明代に入り、永楽帝はとくに「靖難の変」を起こして帝位を奪ったことにより、内《ない》治《ち》の引き締め、権威の集中のために、宦官を重く用いた。

宦官を重用していた永楽帝のことを、武寧王は去年の冊封の時、冊封使の時中や随員らから聞き、きっと喜ばれるだろうと、閹者を献上したのである。その閹者はどうやら、献上のために〝作った〟らしいのである。

永楽帝は激怒した。自らは宦官を重用しながらも、属国が迎合するようにこれを差し出してきたのは、論外のことである。まして、罪なき者を閹者にして献上してきた、とも聴こえて、

「彼（閹者）もまた人の子なり。罪なくしてこれを刑するとは何事ぞ。朕《ちん》の望むところに非ず」

と、琉球に突っ返すよう礼部に命じた。

礼部の長官（彼も宦官）は、

「これを突っ返せば、遠人（琉球）の帰化の心を阻むことになりかねません。どうかお怒りを沈めて、お受け取りなさりますように」

と進言したが、永楽帝は頑として退け、

「遠人を諭《ゆ》するに空言《くうげん》をもってせず、実事《じつじ》をもってするに如《し》かず。今これを返さずば、彼は朕に媚びんとして、次々に閹者を作って送ってくるであろう」

と、琉球に突っ返させたのであった。

武寧王が献上した閹者がどのように〝作られ〟たかは分からないが、確かに去勢の罪は残忍でもあり、王府史記が民を虐げる「暴虐王」の烙印を押しているのは、単に佐敷の巴志の討伐を正当化するためだけでなく、この閹者献上にも、武寧の無慈悲の一端が示されているといえようか。

二月はじめに那覇港を発した三吾良亹の船は、同月下旬、福建泉州に至った。そして、三月、三吾良亹は献上の閹者を引き連れて、応天府《おうてんふ》（南京）に至り、永楽帝に謁見《えっけん》して、冊封のお礼を言上《ごんじょう》した。献上品の目録は事前に朝廷に呈されていた。

冊封のお礼言上には、ゆったりと頷いていた永楽帝は、しかし不機嫌そうであった。

宮廷官が、三吾良亹の側に寄り、ひそひそと囁くように、皇帝の不機嫌の事情を説明した。

闇者献上に、皇帝がひどく立腹していると知って、三吾良亹は穴があったら入ってしまいたいばかりに恐縮し、蟇蛙《がまがえる》のように平伏した。

三吾良亹もまさか、それで怒られるとは思っていなかったのだ。闇者たちには気の毒な思いも湧いたが、永楽帝は闇者を宦官として宮廷で重用していると聞いていたし、また当の闇者たちも出世の道かと喜んでいるのを見て、むしろ、よかったかな、とさえ思っていたことだった。

「闇者たちは故郷の家族のもとに連れ帰るように。なお、お上《かみ》におかれては、闇者を気の毒に思われて、衣服等を賜った」

と、宮廷官（彼も宦官であったろう）は言った。

「はッ。重ね重ねのご温情、痛み入りまする」

三吾良亹は、床に額を付けて平伏した。

御簾《みす》が降ろされ、謁見の儀は終わった。

三吾良亹は、じっとりと汗をかいていた。


しかし、その顛末を、武寧王は知らない。

献上の閹者を載せて、三吾良亹の船が那覇港を出て数日後、武寧王は佐敷按司＝島添大里按司となっていた佐敷巴志の軍に滅ぼされたのである。

三吾良亹が応天府の朝廷に上がり、前年の武寧冊封に対する謝恩を述べたのは、三月である。

むろん、三吾良亹は、武寧王が巴志に討たれたことは知らないし、閹者献上を怒った永楽帝も、まさか、それを献上してきた武寧王が、すでに滅ぼされていたことなど、知る由もなかった。

巴志は、武寧王が贈った永楽帝への閹者に、永楽帝が激怒して、突っ返した顚末《てんまつ》を、帰国した三吾良亹から聞いて、

「やんぬるかな……」

と呟き、返されてきた閹者《えんじゃ》には見舞品を贈って、労わるように指示したが、二人か三人かは、恥じて自決し、残りの者も世間の冷たい目を避けるように、身を縮めて暮らしたという。

7

話を巴志の武寧討伐に戻すが、王府史記はその挙兵を、「義挙《ぎきょ》」として讃えていく。

まず、『中山世鑑』は――

《――終《つい》ニ、山南王（巴志）、義兵ヲ挙給《あげたまい》ケレバ、中山王、拒戦《ふせぎたたかわ》ントシ給ヘバ、勢微《せいび》ニシテ、難叶《かないがたく》、一先《ひとま》ヅ、落給《おちたま》ハントシ給ヘバ、四面皆、楚歌《そか》ス。……在位二十六年ニシテ、永楽十九年辛丑《かのとうし》、二月初五日卜申スニ、降参《こうさん》ヲゾシ給ケル。去程《さるほど》ニ諸侯、大《おお》ニ会シテ、山南王ヲ尊ンデ、中山王トゾ仰奉《おおせたてまつ》ル。》

武寧王は押し寄せてきた巴志の軍を迎え撃とうとしたが、不意のこととて、守りは薄く、迎撃は無理と見て、ともかくひとまず落ち延びようとしたものの、四面、敵に囲まれて、押し包まれ、遂に「降参」した、と書く。

しかし、この『世鑑』には、いくつか疑問符が付く。

一つは、佐敷から出て島添大里按司を滅ぼした巴志を、「山南王」としていることである。

これは『世鑑』の編著者向象賢《しょうしょうけん》（羽地按司朝秀）の認識の誤りである。巴志は「山南王」

を名乗らなかったのである。

二つ目は、武寧王の在位と年号も明らかに間違いで、向象賢はカン違いをしたようである。武寧王の在位は十一年（十年説あり）、巴志が討伐したのは永楽三年（一四〇五）である。

東恩納寛淳も指摘しているが、前にも見たように、『中山世鑑』は大分、杜撰《ずさん》なところがある。博学の羽地按司の才気走った独断解釈が目立つのである。

『中山世鑑』を受けて、武寧王について、

《武寧、荒淫度《こういんど》なし。用いることその人物に非ず、諫むる者を罪し、諂う者を悦ぶ。先君の典刑を壊覆《かいふく》す。国人敢て怨めども敢て言わず》

――と断罪した第二史記『中山世譜』、第三史記『球陽』は、続けて、その武寧を討った巴志を、次のように讃えていく。

《時に佐敷按司巴志、父を継ぎて民を治む。賢士《けんし》を進めて、不肖《ふしょう》を退く。功ある者は必ず賞し、罪ある者は必ず罰す。威名《いめい》大いに振るい、遠近帰服《えんきんきふく》す。この年（永楽四年）、巴志二十二歳なり。武寧の驕奢《きょうしゃ》度《ど》なく、民を虐《しいた》げ、政を廃するを見て、義兵を起こし、来りてその罪を問う。武寧慌忙《こうぼう》拒禦《きょぎょ》す、奈《いか》にせん諸按司戸を閉ざし、枕を高うして曾《かつ》て之れを救うこと莫《な》し。勢孤《せいこ》（小勢）にして力弱く、以て扞禦《かんぎょ》（防ぐ）し難し、之れ

を侮《くゆ》るも及ぶことなく、竟《つい》に出城《しゅつじょう》して罪に服す。諸按司、巴志の父思紹を奉じて君《きみ》となす》

さすがに、討たれた年は修正されているが、永楽四年ではなく、三年が正しい。また巴志の年齢も二十二ではなく、三十三歳であるが、これは単なる書き間違いだろう。

――史記は、武寧は城を出て降《くだ》り、罪に服したというが、逃亡して行方不明となり、その最期を知る者はなかった、とも伝わる。


護佐丸は、初めて武寧王に謁して、とろんとしたその表情に、何となく人間味のない、冷淡な印象を受けたことであったが、その武寧王の最期を聞けば、驕奢にして国政を乱し、自業自得《じごうじとく》――身から出た錆だと、心に頷けるところもあったとはいえ、さすがに、

(ついに幽明相隔《ゆうめいあいへだ》てたか)

と、感慨も覚えずにはいられなかった。

しかし、不思議に、侵略者たる「佐敷小按司」――いや、もはや「島添大里按司」であったが、その彼への怒り、国を簒奪《さんだつ》されたことに対する、義憤が湧いてこない。

武寧王を人間的に好きになれなかったということはある。また、そういう隔意《かくい》は、山田グスクが浦添から遠く離れた辺境に孤立していて、「中山」の臣下という意識が薄かっ

たことからのものでもあろう。

だが、そうした個人的な好き嫌いの問題ではなく、また遠近のことでもなく、これは万人が拠《よ》って立つ国家の簒奪の問題なのである。

8

南山では、佐敷按司巴志が島添大里按司の汪英紫を討ち滅ぼし、汪英紫の長男達勃《たぶ》期《ち》、二男汪応祖と佐敷巴志との間にいくさが起こるだろうと、人々は見ていた。

とくに、南山の人々は、

「大いくさになる」

と、戦々恐々としていた。

しかし——。

佐敷按司＝島添大里按司巴志は、それ以上、南山にこだわらず、何と踵を返して、中山王城浦添を攻めたのである。

遥か昔、二百十九年も前——。

源為朝の子、尊敦＝舜天が、大里（後の南山島添大里）から、中山の「世の主」グスクたる浦添グスクを攻め、利勇を滅ぼして浦添按司（世の主）となった。

舜天のことは大和の豪勇源為朝の遺児という以外は、もう分からなくなっていたが、島添大里から中山王城攻略を成し遂げた巴志を、人々はかの舜天になぞらえたものである。

そして、これは琉球が三山に分かれて八十余年、南山の中山攻めという、初めての〝他国〟による中山侵略でもあった。

しかも、元を正せば、南山の片隅、大里丘陵崖下、海浜の僻陬《へきすう》佐敷の、身長五尺にも満たぬと伝えられていた〝小男〟が、こともあろうに、三山の頂点に立つ〝天下城〟たる浦添王城を攻め、王座を簒奪《さんだつ》したのであるから、国人が驚いたのも無理はない。

そして、本来なら、中山の名だたる按司たちは、自らの国が、そのぽっと出に掠奪《りゃくだつ》されたことに憤激して、反撃の兵を挙げ、国を奪い返すべきであろう。

ところが、どこからも立ち上がる様子がなかったのである。

一体、これは何なのだ。

そういう護佐丸自体が、不思議と、義憤が湧かない。

ま、自分の場合は、単に好き嫌いから、武寧王への反発があり、武寧が討たれたのは自業自得と突き放していたところがあったが、しかし、ともに「中山国」を形成してきた諸按司たちは、なぜ怒らないのだ。

父の山田按司にしても、沈黙して、何の怒りも見せず、この「佐敷小按司」の簒奪《さんだつ》を、あっさり受け入れている。

ま、父は、「佐敷小按司」がすばやく送ってきた軍使に屈して、忠誠の誓紙に有無を言わさず署名させられたが……そうか、これと同じように、「佐敷小按司」は武寧王を討伐するや、時を置かず、中山各按司のもとへ早馬を送り、同様な誓紙を取り付けて、その反撃を逸早《いちはや》く、封じたに違いない。

うまい！

——しかし、そうではあっても、中山王城乗っ取りは、強奪《ごうだつ》にほかならないのだから、中山の按司たちは、男なら、反撃して浦添を奪い返す気概を見せるべきではないか。武寧王が人徳を失ったというならば、この中山内から、人徳ある按司を樹《た》てるのが本筋であったのに、みすみす〝他国人〟に王城を明け渡したまま、手を拱《こまね》いているのは、いくらなんでも、不甲斐《ふがい》ないというべきではないか。

護佐丸は、中山の有力按司たちの名を、指折り数えてみた。

越来《ごえく》按司、知花《ちばな》按司、具志川《ぐしかわ》按司、北谷《ちゃたん》按司、中城按司、美里《みさと》按司、伊波《いは》按司……。

そして、他に勝連按司もいるが、彼の場合はかねて中山を離れて独自路線を歩んでいるようなので、除くとしても、直接、中山に属している按司たちが、みんな沈黙しているのはおかしいといわねばなるまい。

確かに、多くの按司と国人が、心の中では武寧王の乱政《らんせい》には呆れていたかも知れないが、中山のために、敢えて身を挺《てい》して、諫言《かんげん》する者はいなかったのか。

いや、武寧王は暴虐で、諫言を呈する者は憎んで退け、あるいは罪し、諂《へつら》う者を挙げて遇するような有様であったから、按司たちや賢臣《けんしん》は畏れて黙し、身を隠してしまったということではあろうが、そういうことならなおのこと、意気地《いくじ》がないといわざるを得ない。

しかし、彼らが意地を見せる暇もなく、巴志の武略が、先を走っていたということかも知れない。

巴志は密かに中山に密偵などを放ち、武寧が人徳を失って、諸按司たちも見限っている様を見て、兵を挙げ、一気に攻め寄せたに違いない。この時、武寧王を助けて立つ者はなく、周囲には口先で諂うばかりの惰弱《だじゃく》小心《しょうしん》な佞臣《ねいしん》しかおらず、むしろ彼らは色を失い、先を争って逃げてしまったに違いない。

（もしかしたら……）

護佐丸は思考を飛ばした。

「佐敷小按司」巴志は三年前、南山の島添大里グスクを攻め落とし、その支配下にあった、佐敷、知念、島添大里、具志頭、玉城の南山東五間切を、支配下に置いた。

その島添大里討ちは、ただ南山を乗っ取るためのものであったと、あの時、中山では見ていた。

しかし、その後、巴志は南山王のいる西の島尻大里を攻める気配もなく、かつて権勢を振るった汪英紫の二男の汪応祖が、南山王となって南山西半《せいはん》を治めていると、護佐丸は父に聞いていた。

「巴志は、南山の東半分を抑えるだけで十分、と考えているのだろう」

と、父は言っていた。中山の按司たちもそう見ていたらしい。

だが……。

巴志は三年前、島添大里按司を討つ時点から、実は北——中山を、虎視眈々《こしたんたん》と狙っていたのではなかろうか。

南山の東半分を手に入れたのは、中山を攻める兵力の確保のためであって、南山全体を乗っ取り、南山王に座るのが目的ではなかったのだ。

三山の中で、最も勢いがあり、南山、北山を圧する進貢貿易で莫大な財を築いている中山を見れば、進貢貿易では中山の後塵を拝している南山などに、こだわっているのは小さい。

琉球を統《す》べる中山を手に入れる——。

まさしく、巴志の島添大里討伐の真の目的は、そのための勢力づくりだったのではないか。

護佐丸は一瞬、「佐敷小按司」の野望を覗き見た思いで、思わず、身震《みぶる》いを覚えた。

しかし、それは恐れというより、男の壮大な野望への、共感のようなものであった。

もっとも――。

巴志が佐敷を出て、島添大里按司を攻略したのを、中山の按司たちの中には、

「すわ、次は中山ぞ！」

と、鋭く見抜いた者もいたようだ。

『球陽』に、こうある。

《巴志、大里を得て、威名《いめい》大いに振るう。時に乃《すなわ》ち中山の武寧王、先君の典刑《てんけい》を壊覆《かいふく》して臣民遁隠《とんいん》す。諸按司相謂《あいいい》て曰《いわ》く、巴志、大里を得る。（大里は）地、甚《はなは》だ近《ちか》し、今、王、徳を失うときは禍《わざわ》い遠からずと、各々散隠《それぞれさんいん》して朝《ちょう》せず。》

大里は浦添（王府史記の設定は首里）に近い、大里を乗っ取った「佐敷小按司」巴志の狙いは中山ぞと按司たちは見抜き、このままでは共倒れになるぞと、「徳なき」武寧王を見限って、逃げたというものだ。

しかし、巴志の狙いは、中山に止《とど》まらず、島添を討って南山東五間切を領し、その力

をもって今、中山を攻略したように、この中山勢力を加えて、次は北山、南山を攻め陥として、中山の下へ併合し、もって三山の統一を成し遂げようと、考えているのではないか。

そのように、護佐丸は想像を膨らませ、慄然《りつぜん》たるものを覚えた。

まさしく彼は、天才的な武略家のようだ。

佐敷は南山の東五間切の中では、大里丘陵の北崖の麓、海沿いに細く、集落は点々と散って、勢力としてはもっとも弱小であった。その佐敷が、南山王城をしのぐ勢力の、まさに地形上も佐敷の頭上に覆い被さっている島添を討つこと自体が、無謀《むぼう》というものだ。

しかし、やったのである。

倨傲《きょごう》な島添大里按司に抑えつけられて、東の按司たちは、佐敷もそうだが、知念、具志頭、玉城按司も、腹の底では不満を抱きつつも、彼の力を恐れて面従腹背《めんじゅうふくはい》していることを、巴志は彼らとの交流を通して、知っていたに違いない。

それは、その後、四間切の按司たちが、一も二もなく、佐敷の巴志に服したことにも示されていよう。

同様に、この中山攻略も、武寧王がすでに人徳を失い、諸按司の心も離れてしまっていることを探知し、密かに、その有力按司たちに手を回し、款《かん》を通じていたのかも知れない。

（策士……）

さきほど抱いた、男の野望に重ねて、「佐敷小按司」というのは、恐るべき武略の人に違いないと、護佐丸は改めて、思い当たったことであった。

そして、そう思った時、

（あるいは？）

と、護佐丸は新たな疑念が湧いて、ハッとした。

武寧王が、倨傲《きょごう》、暴慢《ぼうまん》であったとしても、仮にも明国皇帝が冊封した王を討つというのは、「反逆」であり「謀叛」ともいえる。今や琉球の最大の財源ともなっている進貢貿易は、明国皇帝の心情を害すれば、差し止めとなる恐れもある。それをも恐れず、中山に侵略したということは、もしかしたら、巴志はすでに唐営《とうえい》の要路《ようろ》に通じて、事を決行したのかも知れない、と。

前の島添大里按司汪英紫は、王のみがなしてきた進貢貿易を、王でもないのに「王叔」の身分で堂々と行なっていた。

護佐丸は父から聞いていたが、汪英紫は唐営「王相府」がその資格を認めて、許したという。汪英紫は唐営に深く通じていたのだ。

それと同じように、巴志も唐営に通じているのではないか。

明国皇帝は、琉球が三山に分かれているのは、いくさの火種《ひだね》を残すものだとして、三山の統一を望んでいるという。それに応える形で、唐営の「王相」や長史《ちゃぐし》に通じて動いたのではあるまいか。

攻めても、咎め立てされぬように、いや、むしろ「よくやった」と、明国皇帝からも褒賞《ほうしょう》され、今後の進貢貿易を一層盛んにするために……。

「王相《おうしょう》」亜蘭匏《あらんほう》は、汪英紫と前後して先年、高齢で引退したとか、死去したともいい、後任には、長史王茂《おうも》が就いたとも聞こえていた。

巴志は裏で、その王茂や、彼とともに長史職にある程復《ていふく》らに意を通じているのではなかろうか。

攻略後、時を置かず、中山の按司たちの動きを封ずる早馬を四方に飛ばしたほどの〝策士〟であるから、そのあたりも抜け目はあるまい。

そして――中山を攻略した彼の野望は、次に北山を討伐し、南山も従えて、三山統一へ向いているにちがいない。

(凄い男だ)

護佐丸は舌を巻くとともに、

（いくさ世になる！）

と、突き上げてくるものに身震いした。〝武者震い〟ともいえた。

9

それにしても――。

「佐敷小按司」とは、一体どんな男なのであろうか。

強大な勢力――というより二つの〝国〟を連続的に攻略し、乗っ取るなど、何と、大それた男であることか。

護佐丸が初めて彼の武名を聞いたのは、四年前の建文四年（一四〇二）、彼が島添大里按司を討伐した時であった。護佐丸は十五になったところであった。

それまでは、中山の北辺、読谷山の山の中にあって、南山のことなど、ほとんど無関心であった、――というより、まだ〝天下〟への視野も持たない、ワラバー（子供）に過ぎなかったのだ。

しかし、その〝遠い〟南山の、それもその一隅の、佐敷という海沿いの草深い小間切《こまぎり》の、しかも「小按司《こあじ》」という〝小男〟が、南山の東半分を領して南山王をも凌ぐ威勢を張り、「王叔」として影の南山王とさえ呼ばれていたという島添大里按司を攻め滅ぼして、南山の東半をその支配下に置いたというのだった。

さすがに、父の山田按司ら幹部は魂消《たまげ》た様子であったが、護佐丸はもちろん、多くの者たちは、〝他国〟南山の内輪揉《うちわも》めぐらいに見て、ほとんど聞き流していた。

中山の多くの者たちが、

「南山も、いろいろあるようだな」

と、それを対岸の火事と見ていたのだ。

伝え聞くところによれば、叔父の汪英紫に圧迫されて朝鮮へ逃げた南山王、島尻大里按司「承察度」はどうやら朝鮮で客死したらしいが、彼を追い出した汪英紫も遂に佐敷按司の巴志に滅ぼされ、汪英紫の子の達勃期《たぶち》、汪応祖《おうおうそ》の兄弟が反撃に出るのではないか、南山東半の巴志軍と、島尻大里領下の按司たちも糾合した南山西半の軍との、大いくさになるぞと、中山ではもっぱらの噂で、南山の騒動を、賭けでもするように、固唾《かたず》を呑んでみていたが、南山に鬨《とき》の声は上がらなかった。

巴志は動かず、八重瀬《やえせ》按司となっていた汪英紫の長男達勃期も、豊見《とよみ》グスクに配されて王なき島尻大里グスクも管理しているという二男の汪応祖も動かない。

達勃期、汪応祖兄弟は、佐敷の巴志の軍が意外と強く、それを恐れて兄弟は動かないのかも知れないし、あるいは和解が成立しているのかも知れない。

実際、それきりであった。一年、二年、三年と時は過ぎ、南山の〝揉め事〟は収まったようで、それ以上の問題は起こらず、中山の人々は、肩透かしを食ったように、気抜けした。

南山へ忍んで、様子を見にいった者もいるらしいが、いくさの起こる様子はなく、巴志も達勃期・汪応祖兄弟も、どうやら住み分けているようだという。

しかし――。

佐敷按司――いや、もはや島添大里按司の巴志は、横目で〝天下〟を見、南山でのいくさの消耗を避けていたのだ。

島添大里グスクへ、佐敷はもとより、島添大里・知念・具志頭・玉城の若者たちを集め、「天下」へ向けての兵馬の調練《ちょうれん》をしながら、それを達勃期・汪応祖兄弟への脅しにも使って竦《すく》ませせながら……。

島添大里を討って二、三年の〝沈黙〟は、「天下」への力をためていたのだ。

そして今、遂に動いたのだ。

天下泰平に、惰眠《だみん》を貪《むさぼ》っていた中山王武寧は、〝惰夢《だむ》〟を破られ、迎撃態勢を取る間もなく、「佐敷小按司」巴志の軍門《ぐんもん》に降《くだ》ったのであった。まさに、アッという間のことであった。だが、夢ではないのだった。

中山の人々が驚いた頃には、浦添王城には、その佐敷の巴志が〝主《ぬし》〟として入っていたのであった。まさに間髪《かんはつ》を容《い》れぬ、電光石火の〝天下城〟乗っ取りであった。人々は、〝小男〟などと侮っていたその男が、今や覆《おお》いかぶさってくるような〝大男〟であったことを思い知らされた。まさに――いきなり琉球の天下の中心たる大中山の王城を乗っ取るなど、何という大胆不敵な男ではないか。

10

さて、巴志による浦添攻略は、どのようなものであったろうか。

護佐丸が駆け付けた時、浦添の城下は人々が慌ただしく行き交い、ハチの巣を突《つつ》いたようであった。

聞けば、奇襲《きしゅう》は実に昨夜、世が寝静まった時刻を突いてなされたという。

佐敷巴志の、南山の東部五間切を糾合した大軍は昨夕、兵馬の訓練と触れ渡して、島添グスクを発し、西回りで、山道を、浦添グスクへ向かった。

世が寝静まった頃、夜陰《やいん》に紛れて、浦添グスクの南麓、灌木林《かんぼくりん》の中に陣を敷いた。

突入の態勢が整うと、一斉に松明《たいまつ》に点火、おびただしい幟旗《のぼりばた》を押し立て、喚声《かんせい》を轟かせて、グスクへ突入していった。

赤、青、白の幟旗《のぼりばた》――白の幟旗には真ん中に黒々と、

――㊁――

の旗印《はたじるし》。赤と青の幟旗は無地であった。それが数十本、松明《たいまつ》の明かりを受けて揺らめくさまは、夜の底が妖しく乱れ舞うようであり、喚声はその夜の底から、天を突く勢いだった。

幟旗の㊁はむろん巴志の印である。

源為朝→舜天以来の中山王家の紋は、左三つ巴《ひだりみつどもえ》で、これは源氏の氏神《うじがみ》、八幡神《はちまんしん》を祀る豊前《ぶぜん》（大分）宇佐《うさ》八幡宮《はちまんぐう》の紋由来のものだともいうが、巴志は源氏の縁故でもなく、また南山の軍なので、今は紋に代わって㊁の字旗《じばた》を掲げたのである。しかし、むろん中山王権を奪取するので、左三つ巴を暗示していたのである。

幟旗がゆらめく中に槍の穂先が、松明にキラめく。

押し寄せた兵の群れは、慌てふためく門衛《もんえい》らを蹴散《けち》らして、門内へ怒涛の如く突入していった。

城内は上を下への大騒動となった。巴志軍は、王の寝所まで、松明を揺らしてなだれ込んだが、くれぐれも火災を起こさぬよう、あらかじめ注意されていたし、松明の火の粉が延焼《えんしょう》しかけると、すぐに後ろの兵がクロツグやクバの葉、濡れ布を打ち振って消しとめていくという、念入りな城内突入であった。王城は巴志の居城となるわけであるから、焼いてしまっては、元も子もないのだ。

不意をくらった武寧王は、抗すべくもなく、一家側近とともに、すぐに奥深くに隠れたが、まもなく見つけ出され、縄打たれて、大広間《おおひろま》に引き据えられた。

床几《しょうぎ》に泰然《たいぜん》と腰を下ろしていた甲冑姿の巴志は、おもむろに立ち上がった。側に付いていた将が、折り畳んだ書状を差し出した。

巴志は頷いて受け取り、それを開いた。王の罪状を書き出した書状であった。

巴志はそれを、高らかに読み上げた。

——汝《なんじ》、中山王武寧、酒食に耽《ふけ》り、諫《いさ》むる者を罪《つみ》し、諂《へつら》う者を挙げて先君の典刑《てんけい》を壊し、国政を乱し、民を虐《しいた》げ、驕奢《きょうしゃ》度なく、国人《こくじんうら》怨むも恐れて言わず。中山諸按司よりもひそかの訴えあり、ここに義兵《ぎへい》を挙げたるなり。汝、罪を謝して潔く自決《じけつ》せよ。

このように宣《せん》して、凛然《りんぜん》と、自刎《じふん》を迫ったのであった。

しかし、なお覚悟定まらず、逃れんとして、

「な、何を言うか。こ、これはむ、謀叛ではないか！」

と、目を真っ赤にして抗弁《こうべん》する武寧王を、

「見苦しい！」

と、叱咤《しった》して、武寧王を引き据えていた兵たちに、顎をしゃくり、

「斬れ！」

と、命じた。

武寧王は、兵たちによって、大広間から、城庭へ引き摺られていった——。

『中山世鑑』は「斬首」としているが、『中山世譜』『球陽』は、単に「降参《こうさん》」「出城《しゅつじょう》して罪に伏す」としているだけで、斬首したと明確な記述はない。「降参」や「罪に伏す」という中に、斬首は含まれているのだろう。

一説には、武寧王は逃亡して行方知れずとなった、従ってその最期は分からない、とも伝わる。

さて、このように武寧王は討たれ、「罪に伏した」が、聞くところによれば、佞臣すなわち側近も武寧と同罪として処刑、しかし武寧王の妻子の命は取られなかったものの、監視下に置かれることになったという。

巴志は武寧の妻子には、

「汝らに罪はない」

と、情けをかけたのである。


夜が明けた城壁には、数十本の、白や赤、青の幟旗が林立して、朝風に、晴れやかにはためいていた。

今朝がたのことなので、人々の興奮は、生々しかった。

護佐丸らは、急かされるように、グスクへの坂を、群衆に紛れて登っていった。

浦添グスクを見上げて、護佐丸は改めて息を呑んだ。

まさしく――。

城壁の上には、㊁を書き込んだ白の幟旗を中心に、白・赤・青の幟旗が林立し、午後の陽を受けて、パタパタと、風にはためいていた。

胴具足や、甲冑姿の武者たちが、慌ただしく行き交って、まだ急襲の余韻が、生々しく残っていた。

護佐丸は、城壁にはためく色とりどりの幟旗を見上げ、今まさに「天下」が乗っ取られたのだ、という実感に、背筋からぞくぞくと戦慄が走るのを覚え、鳥肌が立ち、

「世替わりだ!」

と、つい口走ったことであった。

「琉球は、大きく変わりますな」

後ろで、瀬名波が同調した。瀬名波も、城壁上にずらりと林立して風にはためいている白・赤・青の幟旗《のぼりばた》を、目を輝かせて見渡していた。

「琉球は、新時代を迎えたということだ。しかし、佐敷の巴志という男、噂では小男などといわれているが、やることは大きい。あっという間に、南山島添大里を乗っ取り、時を置かずに、この中山天下を乗っ取った。何という男だ。いくさの天才なのだ」

「ですな」

「とてつもない野心を抱いていると見える。その野心、この中山でとどまるだろうか」

「と言いますと？」

「琉球は三山に分かれている」

「北山、南山も攻めると？」

「そう、三山を併合統一して、文字通り、大琉球の王になろうと考えているに相違ない」

「それはまた、遠大な」

「琉球は、いくさ世になる。北山攻略、南山攻略――」

「確かに、北山王、南山王は、この中山攻略を見て、身構えていることでしょうな」

「いくさ世になれば、われらも自ずと巻き込まれよう。われらも中山のうちだからな。巴志は今や、中山の覇者。われらの盟主となったのだから——」

護佐丸は、巴志の壮大な野心を覗き見た思いで、胸の高鳴りを覚えずにはいられなかった。それはすでにして、共鳴であったといえる。

「それにしても、巴志という男、どんな男か……」

護佐丸は、意を決した。

「瀬名波、ジラー、浦添グスクへ入るぞ、天下を乗っ取った巴志に会いに行くぞ！」

「えッ、浦添グスクは今、上を下への騒動の最中ですよ。それに、われらはまだ、武寧王の遺臣という立場ですぞ」

瀬名波が、びっくりして目を瞠《みは》った。瀬名波の後ろに、おどおどして、行き交う甲冑武者たちのあわただしい様子をキョロキョロ見まわしていたジラーも、目を返して、呆《あっ》気《け》に取られている。

「武寧王の暴君ぶりは、われらにも聞こえてはきておりましたが、とはいえ、わが山田グスクは中山の一角をなしています。わが中山王城に攻め寄せ、王を殺して王城を乗っ取った佐敷の小按司は南山の者、いわばわれら中山の仇だし、われらも佐敷の小按司の敵になりますぞ。小按司に会いに行くとは、虎穴《こけつ》に入って行くようなものではありませんか」

瀬名波が諭すように、護佐丸の逸《はや》る気持を押し止めた。三十を過ぎている瀬名波は、山田グスクの知恵者としても知られ、護佐丸の父の山田按司が頼りにしている一人であった。武芸にも天稟《てんぴん》のものがあって、護佐丸も幼少時から彼に、鎗、刀剣、弓を習い、組角力《くみずもう》の技なども習ってきていた。護佐丸の武芸の師なのであった。

護佐丸は彼の説諭を頷いて聞いていたが、

「山田グスクに来た首里からの早馬、あの使者は父上に忠誠を求め、父上も否応なしに、誓紙に署名したわけだ。もはや、敵ではないのだ」

「しかし、お父上が頷かれたのは、使者の勢いに呑まれて、つい頷かれたまでで、今ごろ、お父上は頷かれたことを後悔しておられるかも分かりません。お父上は、様子だけ偵察して参れとのお言葉でしたし……」

「何、我ら山田の小グスクが、王城さえ乗っ取った強大な巴志の軍に立ち向かえるわけではない。一方的に忠誠を誓わされたとはいえ、抵抗すれば、我らなぞ、ひとひねりにされるだけだ」

「――ではありましょうが……」

瀬名波はまだ逡巡している。

「まずは巴志に会って、その人物を窺い、胸に落ちれば、改めて臣従の約束をすればよい。忠誠の趣を持って、お訪ねしたと、取り繕えば、会ってくれるであろう。会わぬとあれば、それから我らの身の振り方を考えてもよかろう」

「いや、若按司の前もなかなか……」

瀬名波は改めて護佐丸の才知に、感に堪えないように目を細め、

「分かりました。さ、それでは佐敷小按司の品定めに参りましょう」

と、こちらも気持を大きくした。

「佐敷小按司ではない。今や我らが中山国の世の主だ」

「はい……」

瀬名波は、顔を引き締めた。

11

護佐丸がグスクへ馬首を向け、瀬名波、ジラーもそれに続いて、つかつかと、警護の将兵が厳めしく居並ぶ城門へ進んだ。

躊躇《ためら》いもなくスタスタと城門へ進んで来た三騎を、

「待て、待て」

と、門衛兵らが慌てて制した。

「何奴《なにやつ》だ？」

隊長と思《おぼ》しき腹巻鎧《はらまきよろい》の将が、鞭《むち》を差し向け、胡乱《うろん》な奴とばかりに誰何《すいか》した。

「山田グスクの護佐丸。新しい世の主に、お目にかかりたい」

「山田グスクだと。どこのグスクだ？」

北辺山中の小グスクなど、念頭にないのだ。

「大北《おおにし》の山田、またの名は読谷山《よみたんざん》グスク。読谷山・山田按司が一子、護佐丸と申す」

年は若いが、「若按司」という権威を示して、護佐丸は胸を張った。

「ふん」

門将は総髪《そうはつ》を無造作《むぞうさ》に束ね、野良着《のらぎ》のままの護佐丸のむさい姿、それも明らかな若造《わかぞう》に侮蔑《ぶべつ》の目を投げ、

「えーい、今はそれどころではない。按司様に会いたいだと？　えー、帰れ帰れ」

手で追い払うあからさまな仕草《しぐさ》をし、もう相手にしないで、目をそむけた。

だが、護佐丸は引き下がらなかった。

「按司様にお伺いも立てず、あなたの一存で、私を追い払うのですか。後悔することになりますぞ」

若いと侮ったのに、凛《りん》とした護佐丸に、

「何ッ？」

と、将は目を剥《む》いた。

「どこの馬の骨か分からぬ者は相手にしないというならば、いくら天下を乗っ取ったとて、人心を靡《なび》かせることは出来ぬでしょうな」

「何を！　若造が、もういっぺん言ってみろ。ただでは置かんぞ！」

「それそれ、そのようにしゃかりきになるのが天下の将か。こちらは慇懃《いんぎん》に、按司様へのご面謁《めんえつ》を申し出ております。門将殿としては取り次がれるのが筋ではござらぬか。それとも、門将殿のご一存で、面謁を求める我らを追い払うのですか。ああ、今は追い払われても、後日、しかるべき筋を通してご面謁を得ることになりましょう。後悔なさるな、と申し上げたは、そのことでござるが——」

年の若さにも似合わぬ、理路整然とした護佐丸である。従者の瀬名波、ジラーは護佐丸の物怖《ものお》じしない大らかな性格はよく知っているが、〝天下城〟へ来ても、少しも怖《お》じない様に、さすがにハラハラしている。

「うーむ……」

と、門将は問い詰められた形で眉根《まゆね》を寄せ、顔を顰《ひそ》めたが、隣の相棒とひそひそ打ち

合わせて、

「分かった。しばし待て」

と、背後の兵を手招きして何ごとか指示した。

「はッ！」

と、兵が城内へ飛んで行った。

しばらくして、甲冑姿ではない、ゆったりした着物姿の男が、飛んで行った兵に伴われて出てきた。

門将は腰を折って彼のもとへ行き、何ごとか囁き、着物の男が頷いて、護佐丸を見遣った。

門将は護佐丸のところへ戻って、

「あの方は按司様のご側近である。按司様のもとへご案内される」

苦虫を噛み潰したように告げた。護佐丸は、ありがとうという意を示して、ニッと笑顔を向けた。門将はバツが悪そうに顔をそむけた。正直な男だ。任務に忠実なだけだ。

乗っ取り処理中の慌ただしい城内を抜けて、護佐丸ら主従三人は、城内奥の按司館へ連れていかれた。——

長い石畳の内路《ないろ》を、護佐丸は案内の兵に従《つ》いていった。

要所に、兵たちが槍や長刀を立てて警護に当たっているのが、占領したての緊張感を漂わせていた。

護佐丸は、正殿入口の衛兵が差し出した両掌《りょうて》へ刀を預けて、頭《ず》を下げて館に入り、中央広間へ案内された。

そこには、重臣や兵将とおぼしき、重々しい雰囲気の者たちが居流《いなが》れて、腰を折って入っていく護佐丸を、威圧するように、睨みつけている。胴具足《どうぐそく》を着けたままの者もいるし、襷《たすき》がけ、鉢巻《はちまき》姿の者もいる。

刀を差したままの者もおれば、鞘ごと抜いて傍らに置いている者もいる。

巴志軍の錚々《そうそう》たる者たちである。乗っ取り直後の緊張感が漂っている。

門将を言い負かして、傲然《ごうぜん》たる気持で乗り込んだ護佐丸であったが、毅然たる大広間の雰囲気に気圧《けお》され、将たちの鋭い視線に射竦《いすく》められて、さすがにコチコチになり、ジワッと全身から冷や汗が噴き出し、思わず目を泳がせずにはいられなかった。

城門では衛兵たちに、いささか虚勢《きょせい》を張って見せたものの、ここには巌《いわお》のような重圧が、小童《こわっぱ》など、はじき飛ばすように、デンと立ちはだかっていたのだ。

その巌の中に、白い円座《えんざ》が一つ、ポツンと置かれていた。

大広間の中央であった。

案内の兵が、護佐丸へ顎をしゃくって、円座を示した。そこへ座れ、というのだろう。

護佐丸は頷いて、しかし、すぐには円座に座らず、その前に膝を落とし、手を突いて、居流れる将たちへ、深々と頭を下げた。そして、

「読谷山、山田グスクの護佐丸にございます」

と、挨拶したつもりだが、喉はカラカラに乾き、頭のてっぺんから詰まった黄色い声が飛び出るのが、自分で分かった。自分の声とも思えなかった。

(しまった。みっともない様を、晒《さら》してしまった……)

ドッと、汗が噴き出した。

(意気地《いくじ》もない……)

出来れば、もう一度、やり直したかった。

顔を真っ赤にして、上げ切れずにいると、……しかし、それでも冷笑は起こらず、シンとしていた。

そして、それがざわざわと揺れ、奥の方から、

「よし、皆、顔を上げよ」

と、涼やかな声で言いながら、気さくな感じで出てきた者があった。

護佐丸の前の厳が、またざわざわと揺れた。ざわざわと揺れたのは、手をつかえた者たちが姿勢を正したのであろう。

が、護佐丸は平伏したまま、顔を上げ得なかった。

（あのお声は……）

きっと、佐敷の小按司巴志の声そのものであろう。

周囲が静謐《せいひつ》になり、しかし、その静謐は、抑えつけてくる重石《おもし》のように、ズシンと、護佐丸の平伏した背を抑えつけている。

（粋《いき》がって、来るんじゃなかった……）

向こう見ずが、今さらながらに悔いられた。

――と。

「読谷山の護佐丸とは、その方か」

さきほどの涼やかな声が、前方遠くから飛んできた。

「はッ……」

護佐丸は、さらに身を沈めた。返事はしかし、向こうまではとどかなかったろう。

「苦《くる》しゅうないぞ。顔を上げよ」

再び、声が飛んできた。

護佐丸の側に膝を突いていた案内兵が、

「さぁー」

と、促した。

身体を起こすと、案内兵はまた顎で目の前の円座を示した。そこへ座れというのだろう。

護佐丸は膝をにじり擦《す》って、身を円座に乗せた。そして、改めて深々と平伏してから、恐る恐る、顔を上げた。

一間ほど先は床が段を上げ、上座になっている。

その中央に、一人の男が、床几《しょうぎ》に座って、こちらを見降ろしている。

部屋が薄暗いので、男の姿は、黒い影となって、表情は定かには見えない。

が、その人こそ、まぎれもなく、「佐敷の小按司」巴志に違いない。

護佐丸は打たれたように、また手を突いた。

「ふむ――」

と、頷き声がして、

「佐敷の小按司、巴志だ」

と、黒い影は名乗った。

「はッ！」

護佐丸は平伏してから、手を突いたままで、顔を上げ、

「ぶしつけなるふるまい、お許し下さい」

と、いささか強引な面謁願いを詫びた。

「よい。そなたらの中山を乗っ取ったのが何者か、山田按司の名代として、確認しようとするのは当然だ。本来なら、こちらが、中山の各按司へ挨拶に回らねばならぬことだ。今はその余裕もないので早馬を立てたが、そちらから出向いて来られたのは、かえって好都合――」

「はっ……」

護佐丸は平伏した。

「こちらから、ご挨拶致す。当中山国は以後、わが父子《おやこ》が治めることになる。宜しく頼む」

目を上げて見ると、何と、巴志は床几を降りて、護佐丸へ手を突き、頭を下げたのだ。

護佐丸は仰天して、「ハハーッ……」と、蛙のように平伏した。

「ま、堅苦しいやり取りは抜きにして――」

立つ気配がして、護佐丸も身を起こし、顔を上げた。

その時、護佐丸は初めて、巴志の立ち姿を見て、えッ？　と、驚いた。

すっくと立ったその姿は大きく、背もすらりと高かった。

(何が小男なものか……)

護佐丸は打ちのめされた思いであった。

巴志は振り返って、

「驚いておるな。小男《こおとこ》と思っていたろう」

と、笑った。

「は、いえ……」

護佐丸は、しどろもどろになった。

「ははは。そういう噂になっておるようだからな。もっとも、並《なみ》より高いというわけではなく、ま、並の背丈《せたけ》だがな。小按司というのは、グマーではなく、クヮー、つまり子供のことだ。按司の子、若按司だな。そなたも山田の小按司だな」

巴志は、愉快そうに、ハハハ……と笑った。

「は、はい!」

護佐丸は、何への返事なのか、頓珍漢《とんちんかん》な声を出して、平伏した。

巴志は、元の床几へ腰を下ろして、改めて護佐丸を見、

「山田按司のお後継ぎだそうだが、幾つになるか」

と、少し身を乗り出すようにして訊く。

「はッ。当年、二十《はたち》になりまする」

向こうへ届くように、声を投げたつもりだが、喉にひっついて、かすれた。

しかし、届いたようだ。

「二十か。若いな。門衛を叱りつけたそうだな」

お叱りか?

「も、申し訳ございません。つい、出過ぎた真似をしまして――」

また冷や汗が噴き出た。

「何、責めているのではない。そなたの申し状《じょう》、もっともである。そなたの気骨《きこつ》と見たぞ」

「恐れ入ります」

護佐丸は手を突いた。

巴志はしげしげと、その護佐丸を見下ろしてから、

「こたびのことを、どう思う?」

と、訊く。

「は?」

護佐丸は、目を上げた。

「この中山を、乗っ取ったことだ」

乗っ取り――と、あけすけに言う。

「は、はい……」

どう答えていいのか、咄嗟《とっさ》には思いつかなかった。

顔を回して、居並んだ将たちを見回すと、彼らもなごやかに微笑んで、護佐丸を見ている。

「言い難《にく》いか」

巴志の声――。

護佐丸は、正面の、にこにこ微笑んでいる巴志に顔を戻したが、

「は……」

と、口籠《くちごも》った。何と言っていいか、まだ思いつかない。

「ま、いきなり訊《き》いても、答え難いな。この巴志が敵か味方か、まだ見分けもつかぬだろうからな」

「…………」

「はっきり申そう。私が見たところ、武寧王はこの琉球を導く器《うつわ》に非ず、我意《がい》おもむくままにて、世を誤らせると見たから、除くことにしたのだ」

「中山」ではなく、「琉球」と言う。やはり、全体を眺めているのか。

「そなたも聞いていよう。父察度王の遺命《いめい》に背いて、国政を顧みず、奥に籠って、酒池《しゅち》肉林《にくりん》に耽《ふけ》り、諫める重臣を退けるのみならず、罪に問うて殺したり、追放したり。そして、諂《へつら》い阿《おもね》る小人《しょうじん》を側近に置き、ために賢臣は退き、諸按司も見限り、よって朝覲会同《ちょうきんかいどう》の礼も行なわれず、朝綱《ちょうこう》は乱れ、民人《たみびと》の憂苦《ゆうく》は募るも、王の暴虐を恐れて、敢えて諫める者もないと」

「……………」

「中山は琉球の天下である。中山の乱れは、琉球全体の乱れにつながる。我が南山にも類《るい》が及ぶは必定《ひつじょう》。かく思い至って、兵を挙げたのだ」

「……………」

北辺の山中から、向こう見ずにも飛び込んできた、二十歳そこらの若造に対して、〝武略の天才〟たる巴志はその武威を誇り、今や〝天下びと〟となった威勢をひけらかして見下げるのでもなく、むしろ、対等の位置に置いて、弁明するように、挙兵の意味を語って聞かせるのだ。

それも、こんな若造に、にこやかに、隔意《かくい》のない微笑を浮かべて接している。

（人の大きさというものであろうか……）

護佐丸は、舌を巻く思いだった。すでに呑み込まれていた。

「ま、今はこれ以上のことは言わぬが、そなたも読谷山へ帰って、お父上やグスクの方々とも、今度のことをよく話し合い、申すことがあれば、いつでも遠慮なく来て、申すがよい。ま、私も近々、中山の按司の方々に集まって貰い、こたびのことをよく説明して、了解を得たいと思っている。何しろ、私は南山の者だ。それが、中山へ出てきたわけだからな。ま、昔の舜天王と同じだな。舜天王も大里から攻め登ったわけだから」

「はい……」

護佐丸は平伏した。

その姿を、巴志は好まし気に、見下ろした。

そして、何か感じるものがあったのか、胸に落とすように、軽く頷いた。

護佐丸は、浦添グスクを辞して、帰路に就いたが、愛馬加那志の背に揺られながら、昂ぶる気持を抑えかねていた。

〝天下城〟を攻め落としながら、武威を誇るでもなく、それもこの若造を見下すこともなく、一人前に見立てて、隔意なく、その心情を語ったのだ。

その爽やかな印象とともに、

（彼《か》の方となら……）

と、共感が沸き上がってくるのだった。

この次は、恐らく、その天才的な武略をもって三山を統一し、大琉球の創建へと向かうのではあるまいか。

もし、そうであるなら、自分も彼とともに、その壮大な夢へ向かって進みたいものだと、護佐丸は胸に落として、大きく頷いたことだ。――

12

数日後、浦添グスクには中部圏の按司とその重臣らが招かれた。中山の圏外のような勝連按司もとくに招かれてやってきた。

会議場となった正殿大広間は、数十人がそれぞれ緊張した面差《おもざ》しで詰めかけた。

正面の壇上には、思紹と巴志が並んで座していた。

巴志はずらりと、一同を見回してから、

「本日は、急なことにもかかわらず、ご参集下さり、忝《かたじけな》く存ずる。それがしが島添大里按司の巴志でござる」

と、手を突き、頭を下げた。

それから、顔を上げて、左手に座している思紹へ掌を差し出して、

「こちらは我が父、佐敷按司――」

と、紹介した。思紹は軽く、会釈《えしゃく》を送った。

「我ら父子《おやこ》して謀《はか》らい、この中山王城を乗っ取りしこと、各グスクには早馬にてお知らせした通りでござる」

ずけずけと「乗っ取り」などと言いながら、微笑みを浮かべた、人懐《ひとなつ》こいような表情であった。

隣の者と顔を見合わせた按司たちもいた。〝天下城〟を電光石火、攻め落としたのであるから、さぞや剛毅な武将然たる姿であろうと、畏れを抱きながらやってきたであろう按司たちは、人懐こい微笑を浮かべて、一堂を見回す巴志の、隔意《かくい》のない様子に、肩透かしを食ったように、思わず隣の者を見返したのであろう。

何より、その若々しさに、皆は驚いている。将として、形ばかりの口髭をたててはいるが、顔の色艶もよく、青年のようであった。

傍らの父思紹は、立派な鬚髭《しゅし》をたくわえている。この年五十二。巴志はその十七歳の子だから、三十三になっている。

巴志の気さくな振る舞いに、座は緊張が解けて、雰囲気が和らいだ。

しかし、巴志はすっと笑顔をおさめて、姿勢を正した。

「早馬にて、武寧王を討ちし理由は大まかに述べたところでござるが、これは後々にも語り伝えられることであろうゆえ、この場にて改めて申し上げておきたい。武寧王の所《しょ》業《ぎょう》のことである。我が見聞したところによれば、彼は先君察度王の遺徳を踏みにじり、諫むる者は罪し、時には死罪に処す暴虐をなし、また賢臣を退けて、諂い阿る者を挙げ、自らは国政を顧みず、荒淫度《こういんど》なく、国人怨嗟《えんさ》すれども、暴虐を恐れて、敢えて諫むる者なしと聞く。ゆえに諸按司——あ、いやここにご参集された各々方《おのおのがた》のことでござるが、皆様も遂には朝《ちょう》せず——」

と、巴志は一座を見回した。按司たちの数人が頷いた。

巴志も頷き返してから、

「かかる有様ゆえに世は乱れ、これに乗じて、盗賊も跋扈《ばっこ》し、民百姓の怨嗟《えんさ》も高まりおること、それがしが申すまでもなく、おのおの方において、お覚えあるところでござろう。我は南山の身なれど、かかる天下の乱れは、わが南山にも必ずや類《るい》を及ぼすこと必定であり、放置できぬと考えて、世を建て直すべく、兵を挙げたのでござる」

巴志はぐるりと一同を見回した。

多くの按司たちが頷いていた。頷かない者も、熱いまなざしで、巴志を凝視《ぎょうし》している。

「乱れた世を建て直すために乗り込んで来たわけであるから、我ら父子は――」

と、後ろの父を振り返ってから、顔を一同へ戻し、

「この浦添に入って、国政を担う所存《しょぞん》である。南山の者だとて、異議のある方は、遠慮なく申されよ」

巴志はぐるりと見回した。

応えて、手を挙げた者があって、皆が振り返った。

「どうぞ――」

と、巴志は促した。

手を挙げた按司は周囲に軽く会釈して、立ち上がった。

「それがしは、越来《ごえく》でござる。佐敷按司――いや島添大里按司でござるか。こたびの挙兵に、異議はござらぬ。義兵と存ずる。本来、我らが起つべきであるに、手を拱いて何もなさず、自ら遠ざかっていたのは、不甲斐《ふがい》ないことだと、思い知ったことでござる。以後、このグスクにて、我らを導き、世を建て直していただきたい」

多くの按司たちが、同調して頷いた。

また一人、手が挙がった。

巴志が顎で促し、彼は立ち上がった。

「それがしは中城である。ただ今の越来按司と同感でござる。早馬にて、武寧王に代わる新しい中山王には、お父上の前佐敷按司をということ、巴志按司はそのお父上を輔翼《ほよく》なさるとのこと、異議はござらん」

おお！　おお！

と、賛同の声があちこちから上がり、皆が頷き合った。

「ご異議の方は？」

巴志は一同を見回したが、手を挙げる者はなかった。

「ま、この場では異議も出しかねるであろう。もしご異議があれば、後でお話を伺うことにしましょう。遠慮はいりませんぞ」

巴志は、そのように収めてから、

「次に、これも極めて重要なことであるが、私はこの世替わりを機会に、浦添から遷都《せんと》したいと考えている」

えッ？

と、驚きの声があちこちから上がった。

「世を建て直すと申し上げたが、むしろ新しい世を創り上げる気持で、これをやりたい。

この浦添は、何百年も世の中心となってきて、名君、暴君、暗君と、玉石混淆《ぎょくせきこんこう》渦巻いてきた。世を創り直すには、真新《まっさら》な新天地で、人心ともに一新すべきではないかと思うのだ」

巴志は、一同をぐるりと見回して、続けた。

「私が考えている遷都というのは、浦添の人家も含めて、そのまま移そうというのではない。浦添は浦添でそのまま残し、別に新しい都を創るのだ。新しい中山王城をそこに築き、そこで新しい政事を行ない、中山の隅々まで、政事《まつりごと》を行き亘《わた》らせようとするものである」

堅苦しかった口調は少しくだけて、「それがし」が「私」に、「ござる」が「ある」に変わっている。というより、消えている。一同への親しみが湧いてきたのである。

先ほどの中城按司が手を挙げた。

巴志に促されて立ち上がると、

「遷都などというのは、初めて耳にするので、吃驚《びっく》りしていますが、こたびのこと、まさしく世替わりでありますから、よいかも知れぬとの思いも出てきますが、巴志按司はどこに、新しい都を創《つく》ろうとのお考えでござるか。まさか、南山島添？」

巴志は、にこッと笑って、

「南山は論外である。実は中山のあちこちを回って見たのだが、適地があった。首里である」

「首里？」

　中城按司が首を捻り、按司たちも「首里？」と顔を見合わせて囁き合ったり、周囲を振り返って首をひねり合ったりしている。

「ほら、このグスクに立って、東南方を眺めれば、小高い山地があろう。あそこには今、小さな山中の村があって、首里と呼ばれております。あのあたりでは小高く首が出ているのでそんな名を付けているのかも知れませんが、もとよりあの山地も中山浦添の内である。あの丘に登って見た。そして驚いたのだ」

　按司たちは、首を伸ばすように、巴志を注目している。

「何と、進貢船の出入りする那覇港が見下ろしだ。泊港も眼下だ。もちろん、目を返せば、この浦添グスクも眺められるし、中城按司、あなたの中城も一望のもと。それから勝連按司――」

　と、後ろで泰然と腕を組んでいた勝連按司へ、巴志は声を投げ、彼が、は？　と腕組みを解いて目を上げたのへ、

「あなたの勝連の島も、眼前に横たわっていますよ」

「ほう……」

　と、勝連按司はちょっと気をそそられたようだ。

巴志は一同へ視線を回して、

「何より、那覇港、泊港が見下ろしという地勢《ちせい》がよい。進貢、交易は琉球の命脈である。その那覇港、泊港に近いということは、何かと便利である。道を造れば、直結する。浮島の唐営との連携もしやすい。港に出入りする進貢船、また諸国の交易船の出入りを、日々に眺めておれば、明日への力も湧いてこようというもの。また、南へ目を回せば、南山も見下ろしだ。まさしく、天下を見下ろす要地と見た」

「なるほど……」

と、中城按司は立ったまま腕組みして俯《うつむ》き考えていたが、うん、と軽く頷いて、腕組みを解き、顔を上げて、

「巴志按司。首里への遷都、それがしは異存ござらん」

言い切って、座している一同を見回した。

中城按司は中山の有力按司だ。

彼の返答に、多くの按司が同調するように頷き合った。

また隅の方で手が挙がった。巴志が促すと、彼は立ち上がった。白髪の老人だった。

「それがしは、この浦添グスクの者でござるが、実は首里といえば、今は山里でござるが、その村から、察度王の晩年、進貢使者となった者が出ております」

「ほう！」

と、巴志は首を伸ばした。

「彼は首里村の纏め役のウッチ（掟）なので、首里ウッチと呼ばれております。明国語ができ、交渉力もあるので、進貢使者に任じられたのでございます。王相《おうしょう》となった亜蘭匏《あらんほう》様もたいそう評価しておられました。まだ五十そこらですが、首里のことについては、彼《か》の者を召し出して、意見を訊かれたらいかがでしょうか」

彼が言うように、首里ウッチは、進貢使者名に出ている「寿礼結制《じゅれいうっち》」のことで、洪武二十六年（察度四十四年、一三九三）四月、察度王の使者として、馬と硫黄を献じて進貢を行なった。その時、官生《かんしょう》の「寨官《さいかん》の子」段志毎を伴い、南京の国子監《こくしかん》に入学させた。寨官とは按司や有力者、また唐営上役のこととされている。官生段志毎の「段志」は「泰期」や「達勃期」と同じ童名の「タチ」、毎は尊敬語の「前」と同じで、「タチメー」とする説がある。

王使をつとめたほどだから、さらに明語も出来るというから、首里ウッチはいかにも優れ者であろう。

「うむ。よいことを教えて下された。さっそく召し出して、知恵をかりましょう」

巴志は、大きく頷いた。

こうして、首里遷都のことは、ほぼ了解された。

実は――。

遷都については、巴志は別の思いを、胸に秘めていた。

浦添グスクは、代々手を加えて、規模も堅牢さにおいても琉球第一を誇る豪壮な構えであったが、彼自身が按司たちに洩らしていたように、明君・暗君入り混じった玉石混淆の歴史を積み重ねて、手垢《てあか》が付き過ぎているとも言えた。

また、自分は南山の出であり、この浦添は言ってみれば〝他国〟の王城であり、他国の王を、色々な理由をこじつけて討伐し、奪い取ったグスクであり、心の奥では忸怩《じくじ》たるものもある。そんな奪ったグスクでは、寝覚《ねざ》めも悪かろう。いくたびか、陰謀も渦巻き、血も流れたであろう。亡霊が出てくるかも知れない。

そもそも、それは他者が造り上げたグスクであり、そんな古色蒼然たるグスクへ入ったとて、南山者には仮寝《かりね》の宿に等しく、自分の魂が滲みこんでいくことはなかろう。

自分の世は、そんなしがらみや汚れのない、真《ま》っ新《さら》な地に、一から創り出したい。そこから、心機一転、新生琉球を拓《ひら》くのだ。

そんな思いを胸に、彼は首里の丘に登って見たのだ。

その丘はかねて、島添大里グスクからの眺めで、心に止めていた。何という地か、中山の領域なので分からなかったが、浦添はその丘の向こうに横たわっており、つまりその丘は中山の南端、南山との境目《さかいめ》であった。

実際、丘に登って見回すと、中山王城を載《の》せた浦添丘陵が眼下に見下ろされる。浦添より高地になっているのだ。そして、目を上げれば、中北部の山並がうねって、はるか北山の山々も霞んで眺められる。

瞳を返せば、島添大里グスクは手が届きそうだし、島尻方面まで、南山一帯が眺め渡せる。

はるか眼下の海は、進貢船の拠点たる那覇港である。唐営のある浮島も眼下である。目を上げれば、霞のかなたに慶良間の島々も眺め渡せた。

まさに、天下が一望の下《もと》である。新しい〝天下城〟を置くに、もっとも相応《ふさわ》しいではないか。

「うむ！」

と、巴志は胸に落とし、大きく頷いたことであった。——

「ま、新しいグスクの建造は大掛かりなことになるので、遷都のことは今から詰めていくことにして、差し当たっては、この浦添で、世の建て直しを始めねばならぬ。これは、ここにお集まりの按司諸侯の力添えがなくば、できることではない。これからは、明国進貢の利は等分に、各グスクの規模に応じながら配分することにするゆえ、中山の建て直しを我が事として、取り組んでいただきたい」

「へへーっ！」

と、一同、手を突いて頭を下げた。

このやりとりの間、巴志の父思紹は、ただにこやかに上座に座して、口を差し挟まず、すべては息子の巴志に任せていた。

大広間では、なごやかに酒宴となったが、次々に杯を持って挨拶に来る按司たちの中に、山田（読谷山）按司もいた。

「おお、そなたが読谷山の」

「はい。先だっては、向こう見ずな莫迦《ばか》息子がご無礼を」

「何々。護佐丸と申したな。頼もしい若者と見た。時々、このグスクに上がるように申されよ。将来、我が片腕ともなるであろう若者だ」

「恐れ入ります。よいように、お使い下さい」

「楽しみだ」

巴志は山田按司の杯に酒を注いだ。

崖下の海辺の寒村、佐敷（グスク）の門口に、飛び立とうとして「羽撃《はねう》ち」していた若鷲は、頭上に覆いかぶさっていた事実上の南山王、島添大里按司汪英紫を一兵も損なわずに討伐したのみならず、今や琉球の〝天下城〟ともいうべき浦添の中山王城へ攻め入り、父を新しい中山王となし、その父を輔翼し、権勢の頂点に立って、国政を掌ることになった。むろん、後には父を継いで中山王となるのであるが、彼の生まれた佐敷では、後に彼を讃えるオモロが数多く謡われる。

前にも二つほど見たが、彼のことはさらに、「佐敷意地気《いぢへき》按司」とも謡われている。

佐敷《さしき》意地気《いぢへき》按司《あぢ》
正《まさ》の意地気《いぢへき》按司《あぢ》や
親《おや》　撓《しな》て
島討《しまう》ち　勝《まさ》りよわちへ
又佐敷大国《さしきぢやくに》按司《あぢ》

というのは、島添大里、中山浦添、そして後の北山討ちなどを讃えてのオモロであろう。

13

明国の戦乱で中断していた進貢の、南山としての再開は、永楽元年（一四〇三）——すなわち、巴志が島添大里按司を討ち、そのグスクに入った翌年で、これは「南山王世子汪応祖」としての進貢であった。

折しもこの年、朝鮮に亡命していた前南山王承察度《うふさと》（温沙道）が病没したことが、琉球にも伝わった。

これによって汪応祖は「南山王」を継ぐべく、翌永楽二年十月、承察度王の「従弟《いとこ》」と称して隗谷結制《ぎこくうっち》（越来掟《ごえくうっち》）を明に遣わし、表《ひょう》を奉じて方物を献じ、「従兄」承察度王の訃《ふ》を告げ、王に嗣子がなかったため遺命《いめい》により、自分が国事を摂《と》っているが、前年の山北王の例のように、冠服《かんふく》の下賜と襲爵《しゅうしゃく》を願い出た。成祖永楽帝はこれを許した。

同年のうちに、永楽帝は冊封使として行人《こうじん》の時中《じちゅう》を派遣して、中山武寧を冊封し、続いて南山汪応祖を冊封したことは、すでに述べたところである。

この年、琉球にはシャム船が交易に訪れている。同船は、琉球に向かう途中、強風に遇《あ》って福建に漂着し、福建の官憲に、「琉球へ通交に赴く途中、漂着した」と述べ、船を修理して、やってきたのである。

胡椒・蘇木をはじめとする南方物産が、大量にもたらされた。

翌永楽三年、琉球船の港泉州は「来遠駅《らいえんえき》」と名付けられた。（日本の交易港、浙江省寧波は「安遠駅」、南蛮諸国＝東南アジアの交易港、広東省広州は「懐遠駅」と名付けられた。）

そして、その年に、武寧王は討たれ、中山は思紹・巴志父子の世となったのである。

洪武五年（察度二十三年、一三七二）に始まった明国進貢貿易は、察度・武寧の代は通して三十四年、実に三十九回に及んだ。年に二、三回の年もあった。

そして、朝鮮に通じ、また南蛮シャムとの通交も始まった。

明国進貢の物産調達のため、日本との交易も盛んになった。まさに後年、尚泰久王が首里城正殿に晴れやかに懸けた「万国津梁《ばんこくしんりょう》」の鐘に刻んだ銘文、舟楫《しゅうしゅう》を以て万国の架け橋となる、中継貿易の基礎が築かれ、琉球は〝世界〟へ開かれたのであった。

そして、その成果は、思紹・巴志父子――というより、巴志（後の尚巴志王）が、引き継いだわけであった。

思紹の元年（永楽四年、一四〇六）四月、巴志は三吾良亹《さんぐるみ》をして明に進貢させたが、これは武寧の訃をまだ告げていなかったために、思紹の名ではなく、武寧の名での進貢であった。石達魯ら六人の官生《かんしょう》を伴って行き、南京の国子監に入学させた。

三吾良亹は汪応祖《おうおうそ》の名での南山進貢も兼任した。

永楽五年（思紹二年）四月、巴志は初めて父思紹の名で、三吾良亹を明に遣わし、常《じょう》貢《こう》の馬と硫黄ほかの方物を献じつつ、武寧王の訃を告知、思紹の冊封を請うた。

三吾良亹は、洪武年間に明国から支給された大型の進貢船で、琉球の新時代を背に、意気高く、福建泉州の港に入った。港を管理する福建の役所、市舶司《しはくし》の建物の門には、

〈来遠駅〉

と、墨痕鮮やかな看板が掲げられていた。

携えた表文は、巴志による武寧討伐のことは伏せ、「父」武寧王が亡くなったので、「世子」思紹に王爵を嗣《つ》がしめたいというものであった。五十二歳の思紹が、五十歳の武寧の子というのは不自然であるが、「世子」は養子縁組によって立てることも可能であるから、そのように取り繕ったのである。

むろん、表文は巴志の求めに応じて、唐営王相府が作った。

明朝廷は疑わなかった。

成祖永楽帝は礼部に命じて、武寧王の諭祭品を賜い、思紹に詔をおろして王爵を嗣がしめて、皮弁冠服《ひべんかんふく》（王冠・王服）を賜わった。

これが思紹に対する冊封で、冊封使《さくほうし》は派遣されなかった。これを「領封《りょうほう》」という。

翌年三月、思紹は阿勃吾斯《うふぐしく》を遣わし、方物を献じて、襲封の恩を謝した。この時は南山王汪応祖も使者を遣わし、馬を貢ぎ、進貢した。両使には鈔幣《しょうへい》(紙幣と絹)が下賜された。

このように、明国へ遣使しながら、巴志は中山域内の大工・石工《いしく》、そして設計・建築に才のある者を集めて、本格的に、首里城の築城計画を練らせた。

首里ウッチも呼び出された。巴志は彼を「大親」とし、築城計画の相談役に任じた。

遷都の準備を進める一方で、巴志は馬を駆けって、各地の按司たちを訪ね、親交を深めた。わざわざ訪ねてくる巴志に、按司たちは感激した。彼の父思紹が中山王であるが、それは巴志が父を立てているのであり、実質は巴志こそが王なのである。按司たちはこのことをよく呑み込んでいたことである。

14

永楽七年(思紹四年、一四〇九)四月、思紹は永楽帝の誕生日を祝う「万寿聖節《まんじゅせいせつ》」の慶賀使を送った。この使者名は不明である。

同年（永楽八年）は三月に、三吾良亹をして明に進貢せしめ、模都古《もとく》ら官生三人を国子監に入学せしめた。同四月には、南山汪応祖王も乃佳吾斯古《なかぐしく》を遣わして永楽帝の万寿聖節を祝った。

この年、成祖永楽帝は大軍を率いて、モンゴリア・タタール（韃靼《だったん》）へ親征《しんせい》していたため、皇太子が代わって政務を執っていた。皇太子は中山・南山使者に、それぞれ鈔幣《しょうへい》を賜った。

また、この時は林佑なる者が中山の通事《つうじ》をつとめたが、彼はもと明国人であり、功績があるとして冠帯《かんたい》を賜るよう願い、許された。冠帯は烏紗帽《うさぼう》に、胸に文官用の鳥の刺繍を縫い付けた官服、そして石帯《いしおび》（丸帯）である。

続いてこの翌年、永楽八年（太宗十年）六月にも、前年朝鮮に使した阿乃佳結制《あらかーうっち》をして進貢せしめ、十二月には三月に進貢して帰国した三吾良亹を、折り返し明年の元旦慶賀使として派遣した。この時一緒に、「王相の子」と「寨官《さいかん》の子」を官生《かんしょう》として引き連れ、国子監に入学させた。

永楽九年（思紹六年、一四一一）四月、思紹は長史程復、使者坤宜堪弥《くにかみ》を遣わし、馬と硫黄などの方物を奉じて、進貢した。

この時の思紹の疏《そ》（上奏）に、次のようにある。

《長史王茂は長年、王（国政）を輔翼してきたによって、昇任させて国相《こくしょう》と為《な》し、長史の職も兼任させるようにしていただきたい。

また、長史程復《ていふく》は饒州《じょうしゅう》（江西省）の人で、臣《しん》（思紹）が祖父の察度を輔《たす》けること四十余年、勤めを怠らず、今年八十一歳になりますれば、致仕《ちし》せしめ、故郷に還《かえ》ることをお命じください。》

成祖永楽帝は二件とも許可した。

これによって、王茂は亜蘭匏以後しばらく空席となっていた「国相＝王相」に就任し、唐営長史職（正五品）も兼ねたのである。

また、察度王の明入貢当初――すなわち歴史年表で察度王晩年に記される「閩人《びんじん》三十六姓」の来住のずっと前から、中山の進貢を助けてきた程復は、唐営に常住していたのであるが、老齢になって望郷の思いが強くなったのであろう。その帰郷を明皇帝に願い出たということは、彼は洪武帝から派遣されてきたのであろう。

だが、その子孫は琉球に帰化《きか》したと思われる。唐営（栄）久米村に近世期までつないだ程姓が活躍する。

十一月には、明年元旦の賀使《がし》として三吾良亹を、また閏《うるう》十二月にも明年元旦の賀使を派遣した。

永楽十年（思紹七年、一四一二）二月、南山王汪応祖は阿勃吾斯古《うふぐしく》を派し、進貢した。思紹は四月、万寿聖節への賀使を派遣した。

成祖永楽帝は両使に鈔幣を賜った。また国子監で学ぶ琉球官生《かんしょう》にも夏布《かふ》（麻の薄平織）・襴衫《らんさん》（裳裾のある衣）・絛靴《じょうか》（組紐のある靴）を賜った。琉球官生には季節々に衣服を支給した。

永楽十一年（思紹八年、一四一三）は、中山は四使を派遣して、進貢した。三吾良亹も四月に進貢した。一使は官生三人も帯同した。南山も二使を派して進貢した。

中山・南山合わせると、一年の内に、何と六使である。盛大である。

一方、中山（思紹・巴志）は、朝鮮、日本との通交も並行して進めた。

朝鮮とは、建文二年（武寧五年、一四〇〇）、察度王・世子武寧の名で遣使、朝鮮王の世子に礼物・方物を献じて以後、九年間も通交が途絶えた。

それを、思紹・巴志の代となり、永楽七年（思紹四年、李朝太宗九年、一四〇九）に再開したのである。巴志の海外展開への積極的な姿勢が、そこには見られる。

『李朝実録』に、李朝第三代国王太宗九年九月二十一日、琉球国中山王思紹の遣使来聘《けんしらいへい》のことが載っている。

咨文《しぶん》で、思紹は長年の無沙汰《ぶさた》を詫びる。

《洪武年間、累《しき》りに遣使し、珍貺《ちんきょう》(高価な贈物)を恵まれ親交の便りを得ながら、不幸にして、先祖王察度および先父武寧相次いで薨逝《こうせい》し、以て各寨《かくさい》(各地)不和《ふわ》を致して連年征戦息《れんねんせいせんや》まざるにより、一向《いっこう》(以来)疎広《そこう》(疎遠)し、未だ謝を伸ぶるを得ず、深く惶愧《こうき》(畏れ恥じる)を負う》

「各寨不和」「連年征戦」というのは、武寧晩年、政が衰えて諸按司が離反したこと、征戦は巴志の島添大里討伐、中山武寧討伐を言っているが、具体的なことは書いていない。内紛をこまごまと他国に言う必要はないのである。

しかし、それも落ち着いたので、隣国の義交《ぎこう》を思い、四海一家《しかいいっか》の気持をもって、通交を再開したいと希望し、このために正使阿乃佳結制を遣わし、本国の海船に礼物を装載《そうさい》し、国王殿下に奉献《けんのう》して、いささかの酬謝《しゅうしゃ》の誠《まこと》を示したい、願わくは叱納《しつのう》せられたい、と述べる。

奉献の礼物は次の通りである。

胡椒一百觔《きん》(斤)・象牙二枚・白礬《はくはん》(明礬《みょうばん》)五百觔・蘇木一千觔

南方(南蛮)物産で、これはシャム船が琉球にもたらしたものである。白礬というのは焼明礬《やきみょうばん》(硫酸塩鉱物の粉末)、あるいは明礬石《みょうばんせき》のことで、焼明礬は媒染剤《ばいせんざい》・収斂剤《しゅうれんざい》・

製革《せいかく》・製紙《せいし》など用途は広く、また明礬石は反透明でガラス光沢があり、白～灰色で、カリ肥料の原料である。

咨文にはまた、次のことが付け加えられている。

《今去《ゆ》く船人は物貨を附搭《ふとう》す。乃《な》お乞う、容れて買売し早《すみや》かに打初《だはつ》(出航)を爲し回国《かいこく》(帰国)の便益《べんえき》をはかられたい》

使船は附搭貨物《ふとうかもつ》(献上品とは別の貿易品)を積んできたので、その売買をはからい、すみやかに帰国の途に就かしめていただきたい、という。

巴志は、明国との進貢貿易のような展開を、朝鮮との間にも開きたいと望んだのである。

咨文には、さらに「遞送《ていそう》の事」として、先年、倭寇にさらわれて売り飛ばされてきた羅州《らしゅう》(全羅南道羅州)婦人、呉加・三徳・連れていた幼女位加の三人を送還している。

この時の、朝鮮国王への咨文は、巴志の依頼により、唐営王相府が作成したのである。時の唐営は、王茂が長史と進貢業務を指揮していたが、もう一人の長史に懐機《かいき》がおり、とくに巴志と気が合って、よく浦添へ登ってきていた。懐機は琉語も堪能であった。

咨文は恐らく、懐機が起草し、王茂とともに整えたのであろう。(思紹が明国永楽帝に王茂の「国相」昇格を要請し、認められたのは、この二年後である。）

この翌年（太宗十年、永楽八年）十月にも、思紹は模都結制《もとくうっち》を遣わし、倭寇による被虜男女十四人を送還している。この時の咨文も、また附搭貨物を積んでいき、買売を許して速やかに帰国させて欲しいと要請している。

模都結制らは逗留一か月、無事に貿易を済ませて、十一月十一日、帰国の途についた。

日本との通交は、明国進貢品から見て、頻繁《ひんぱん》になっていたろうが、具体的な史資料が少ない。

それでも、前に紹介したように、永楽元年（武寧八年、応永十年、一四〇三）武蔵国六浦に琉球船が漂着したことが『南方紀伝』にあり、むろんこれは、ヤマトとの交易に来た琉球船だったろう。

思紹二年（永楽五年、応永十四年、一四〇七）には足利義持《よしもち》から、琉球国世の主（国王）への書（贈物への礼を述べた返書）があり、同様な書は永楽十二年（思紹九年、応永二十一年、一四一四）にもあった。

《りうきう国のよのぬしへ　御文《おんふみ》くハしく見申候《みもうしそうろう》、しん上の物ともたしかにうけとり候ぬ　応永廿一年十一月廿五日》

（琉球国の世の主へ　御文詳しく見申し候、進上の物ども確かに受け取り候）

これからすると、思紹王から足利幕府に礼物を添えて書状が送られ、将軍義持の書はそれに対する返書である。将軍から直になされる仮名書き御内書《ごないしょ》の様式である。

このように、中山・南山ともに積極的に明国との進貢貿易を行ない、中山においては北山圏の北の島々を経て日本・朝鮮へと展開していた中で、北山の明国進貢は、中山の〝世替わり〟以後、パッタリと途絶え、この永楽十三年（思紹十年、一四一五）までまる十年、一使も送らず、沈黙している。

何があったのか？

が、それを見る前に、南山が大ごとになったので、これから先に見よう。

15

佐敷按司巴志が、南山王承察度（温沙道）の王権を奪って、南山で権勢を振るっていた島添大里按司汪英紫を討ったのは、建文四年（武寧七年、一四〇二）であった。汪英紫に圧迫されて朝鮮に亡命した承察度王は、同地で客死した（一三九八年）。

南山王承察度が琉球を出奔《しゅっぽん》して消息を絶ったので、汪英紫は王の居城、島尻大里グスクを豊見グスクに配していた二男の汪応祖に管理させていた。その南山グスクを臨む八重瀬岳の八重瀬グスクには、長男の達勃期《たぶち》が配置されていた。

しかし、汪英紫を討った巴志は、彼らとのいくさを避け、また兄弟も巴志への反撃を行わなかった。巴志の威しが効いたのである。

この当時の巴志は、南山を支配する気はなく、彼の視線は中山王武寧に向いていた。南山は汪応祖に預けた。

永楽二年（武寧九年、一四〇四）、成祖永楽帝は冊封使時中を琉球に派遣して、武寧王を冊封し、また南山汪応祖も王に封じた。汪応祖は前年、隗谷結制《ごえくうっち》を明国に派遣して方物を献じ、南山王承察度の訃を告げ、自分は王の従弟で、王に嗣子がなく、遺命により王代行として国事を掌《つかさど》ってきたとして、襲爵を請い、冠服を賜ることを願い、許された。

汪応祖は英明で、明国にも渡ったことがあり、明語に通じ、交渉力もあって、那覇唐営にも通じて、南山の進貢を、中山とともに、盛んに進めた。（明国福建方面の娯楽、ハーリー＝爬龍船競漕《はりゅうせんきょうそう》を琉球に伝えたのは、彼の豊見グスク時代だといい、ハーリーは今日も豊見城城跡の拝所に御願《うがん》を捧げてから行われる習わしは、これにもとづいている。）

しかし――。

汪応祖が南山王として名を挙げているのを、八重瀬按司となっていた兄の達勃期は、舌打ちして睨んでいた。

冊封の時から、

「この兄を差し置いて、南山王だと？」

と、弟の〝越権行為〟に苦虫を噛み潰していたのである。

しかし、世は激動した。

翌年、巴志は中山武寧を討つ。

汪応祖は中山の「世の主」となった思紹・巴志父子のもとへ参じ、慶賀した。むろん、思紹・巴志父子の牙《きば》が南山討伐に向かわぬようにと、それ自体は「国を守る」という、王としての外交であった。

しかし、達勃期にはそれ自体が、

「節度《せつど》もない」

と、苦々しかった。

巴志は本来、父の仇ではないか。その仇とも好誼《こうぎ》して進貢を進めていることも面白くない。弟への不信感がそのように募っていく。

南山の進貢貿易による明国の陶磁器、絹など、汪応祖は八重瀬グスクの兄にもどんどん贈っているが、それを見るたびに、欲も湧いてくる。進貢を自分の手に握りたい。

達勃期はついに、弟を殺し、自らが南山王の座に就くことを考える。

武威を誇る達勃期は、元来、人情の面では酷薄《こくはく》であった。血を分けた弟ながら、才気をたたえられる弟に妬ましさを募らせていたことだ。

彼は弟を招待した。兄弟の絆をかため、また進貢貿易で得た方物を回してくることに対するお礼も兼ねて、ということであった。

汪応祖は、日ごろ頑なな兄が和らいだかと、喜んで八重瀬グスクに出掛けた。何の警戒もしなかった。何といっても血を分けた兄弟なのだ。

和やかに、酒を酌み交わし始めたが、時を置かず、達勃期は座に隠してあった大刀を手に取り、汪応祖が「え？」と疑う間もなく、ギラリと抜き放って、

「死ね！」

と、振り下ろしたのである。

論議一つなかった。言い合いでは、汪応祖の弁舌には敵《かな》わない。殺す、と決意した上は、問答無用である。

汪応祖に従って来たのは、近臣二人と数人の従者だけだった。

彼らは、仰天《ぎょうてん》して、逃げ出したが、手配されていた達勃期の手下が追い殺していった。しかし、従者二人が、馬に飛び乗って脱出した。

――こうして、達勃期の汪応祖謀殺は、南山の按司たちに、あっという間に伝わったのであった。

達勃期は、武威はあっても、知恵がなかった。いや、武威があるだけに、人々は畏れるのだという傲りだけがあったのだ。

騙し討ちに激怒した南山の按司たち――それは島尻大里グスクの支配領域、すなわち西南山の按司たちであったが、彼らは連携を取り合って、八重瀬討ちに決起した。挟み撃ちにされた八重瀬グスクは、抗すべくもなく、臣下たちは皆、手を上げて降《くだ》り、達勃期は己が首を掻き切って、果てた。それ自体は武人らしく、潔かった。彼の妻子は、按司たちに保護された。

按司たちは、島尻大里グスクで会合を開き、汪応祖の遺児――すなわち世子のタルミー(童名)、後の進貢名「他魯毎《たろまい》」を樹《た》てることを一決した。他魯毎はまだ十七、八。紅顔の美少年だった。

永楽十二年(思紹九年、一四一四)のことである。

「愚かな――」

巴志は、その報を聞いて、達勃期の短慮に歯噛《はが》みした。汪応祖とは、恩讐を超えた信頼関係が生まれつつあったのだ。三山統一の夢も、彼と組むならば、容易《たやす》いと思っていたのだ。むろん、北山を討ってからの話であったが、その汪応祖が呆気なく殺されてしまったのだ。

他魯毎を担いで、南山の按司たちが硬化すると、厄介だなと、懸念もかすめる……。

南山は、永楽十三年（思紹十年、一四一五）三月、南山王世子他魯毎の名で明国に汪応祖王の訃を告げ、他魯毎に対する請封使《せいほうし》が派遣された。

成祖永楽帝は行人陳季芳らを遣わして、他魯毎を封じて南山王と為し、誥命《こくめい》（辞令）と冠服、鈔（紙幣）一万五千錠《じょう》を賜うた。

南山騒動は、それで収まったが、それにも乗じるように、中山と北山の大いくさが惹き起こされたのである。

巴志が、北山討伐に向かったのである。——

第八章　翠巒《すいらん》の彼方へ

1

聞《き》こゑ　今帰仁《みやきせん》
百曲《ももま》がり　積《つ》み上《あ》げて
珈玻羅《かはら》寄《よ》せ　御ぐすく　造《けら》へ
又鳴響《とよ》む　今帰仁《みやきせん》

と、オモロは今帰仁《なきじん》グスクのことを謡う。——その名もとどろく今帰仁は、波打つような見事な城壁を巡らし、珈玻羅《かわら》（財宝）を蔵《おさ》め、御グスクを築き上げたぞ。今帰仁の名は世に鳴響《とよ》みわたるよ——というような意味である。

百曲がりとは、古生代石灰岩上、岩山の地形に沿って、くねくねと巡らした城壁のことである。

規模は、総面積約三八、〇〇〇平方メートル（一一、五〇〇坪）、ほぼ浦添グスクと同規模の大型グスクである。

十三世紀ごろに築城され、十五世紀初頭までには、大きく分けて外郭・内郭・後郭からなる三連郭の構えに拡充されたようだ。

現在、前面の外郭はなく広場になっているが、城壁の一部が遺されていて、かなり大きな区域で、臣下たちの屋敷や、畑・果樹園などがあったと思われる。

内郭がグスクの本体で、大手門（平郎門《へいろうもん》）を置き、四つほどの小郭に区切られている。正門を入って左手は大隅《うーしみ》と呼ばれる広場。すなわち衛戍《えいじゅ》であり、厩《うまや》があり、広場は練兵場である。

右手にはカーザフと呼ばれる湧き水の水場が囲い込まれていた。

その大隅とカーザフの間を登って行くと（現在の直線のグスク道は昭和の戦後に出来たもので、その右側の石垣に沿った「旧道」と呼ばれるのが本来のグスク道である）、石墻《せきしょう》があって「大庭《うーみや》」となる。北殿・南殿があり、グスクの諸行事はここで営まれる。その背後に、蔵屋などが建てられている。

その上部の石墻で囲われたところが、主郭（本丸）すなわち北山王（今帰仁按司）の居館である。

按司館の背後が「御内原《うーちばる》」（奥殿）で、王の一家、神女、侍女、賄女たちの居住区である。城内の御嶽《うたき》（拝所）もここにある。

後郭は王殿の南側の崖下に付け足された郭で、後門を置き、城外の志慶真村に通じているので、「志慶真御門《しげまうじょう》」という。兵の詰所や蔵が置かれて、グスクの搦手《からめて》である。

城壁はこの地域の基層をなす古生代石灰岩を削り、また砕いて積み上げており、内郭正門（平郎門）を置いた前面は切石の布積《ぬのづ》みだが、他は石片の野面積《のづらづ》みで、初期グスクの様式を示している。城壁の高さは外郭が約七メートル、内郭・後郭が六〜一〇メートル、厚みは二、三メートル（外郭は三、四メートル）。城壁の総延長は現存部分で一・五キロメートルである。

北東面は削ぎ立てたような断崖絶壁をなし、深い渓谷を志慶真川が流れている。反対側の南面も深い谷になっており、天然の要害にグスクは立地している。

グスクの背後すなわち東方には、グスクより七、八〇メートルも高い嶺があり、クボウ嶽《だき》という神山《しんざん》である。クボウはヤシ科の亜熱帯常緑高木クバ（蒲葵、檳榔《びろう》）のことである。クバは枝分かれも折れ曲がりもなく、十数メートルの幹が真っ直ぐ天を指して伸び、幹頂に濃緑の掌状の大きな葉が叢生、どんな旱魃にも枯れず、台風にも倒れない不死の木ゆえに、神の依代《よりしろ》とされる神木である。山はその神木に覆われ、聖なる嶺として崇められていた。

「百曲がり」の今帰仁グスクは、その神山クボウ嶽に抱かれるように、あるいはその神山の掌《たなごころ》に載ったように築かれている。

地図で見れば、今帰仁グスクは、蛇のようにくねって伸びる沖縄本島の背中から瘤《こぶ》か角のように突き出した本部《もとぶ》＝今帰仁半島の西北端、標高八〇～一〇〇《メートル》の石灰岩丘陵上にある。

本部＝今帰仁半島と書いたのは、現在、半島は本部町・今帰仁村に二分されているからで、通常は本部半島と呼んでいるが、「本部半島」の命名は明治中期のことであり、この物語の時代は、半島は今帰仁按司の支配下にあったので、今帰仁半島と呼んでいくことにする。

今帰仁グスクから見渡すと、前方には、唐《とう》・大和《やまと》へと広がる大洋（東シナ海）が開けている。

その海辺に、ひと塊の黒い樹木に包まれた集落があり、磯辺には小さく船影も見える。今帰仁グスクからは、緩やかな傾斜に沿って、曲がりくねった道が、その集落へ、白く伸び降《くだ》っている。道が白いのは、石粉《いしこ》などが敷き詰められているのである。

集落の名は親泊《おやどまり》。泊はむろん港のことで、その泊の親すなわち今帰仁の主港の意である。

その親泊から、北の島々――今日の島名で、伊是名島・伊平屋島・与論島・沖永良部島・徳之島・奄美大島・喜界島、そして薩南諸島のトカラ（吐噶喇）列島・屋久島・種子島を経て九州へと、今帰仁グスクの海の交易路は開かれていた。それらの島々からも、今帰仁には交易船が入ってきた。北からの船には、倭寇船《わこうぶね》もあった。

明国進貢には、その親泊から中山の那覇港へ行き、進貢業務を担う那覇浮島の明人居住地唐営の「王相府」に通じ、明国朝廷への上奏文「表《ひょう》」を整え、使者も付けて貰い、中山・南山の進貢船とともに進貢したのである。持ち船で進貢に出る時もあったが、その時もいったんは那覇に回航して、唐営に通じなければならなかった。

三山は独自性を保ち、対立しているかにも見えたが、進貢は唐営「王相府」を介してなされるので、提携して行われていたのである。

もう少し、今帰仁グスクの立地《りっち》を見ておく。

今帰仁グスクの背後、すなわち東南方は、神山クボウ嶽から続く緑深い山並《やまなみ》に遮られて、遠望は閉ざされているが、その先には、東の乙羽岳《おっぱだけ》（二七七メートル）を経て、南の八重《やえ》岳《だけ》（四五三メートル）、嘉津宇岳《かつうだけ》（四五一メートル）……と、鬱蒼《うっそう》たる連山《れんざん》が波打っている。

東北方は羽地内海《はねじないかい》を隔てて、東に名護岳《なごだけ》（三四五メートル）と多野岳《たのだけ》（三八三メートル）、そこから北へ宇橋岳《うばしだけ》（三〇〇メートル）・津波岳《つはだけ》（二三五メートル）と連なり、大宜味《おおぎみ》・国頭《くにがみ》の山並へと霞《かす》み溶け込んでいく。

国頭の山並は、本島最高峰の与那覇岳《よなはだけ》（五〇三メートル）を中心に、伊湯岳《いゆだけ》（四四六メートル）・

牛首岳《うしくびだけ》（四五七米《メートル》）・照首山《てるくびやま》（三九五米《メートル》）・西銘岳《にしめだけ》（四二〇米《メートル》）と折り重なり、まさしく「翠巒遙か《すいらんはるか》」な趣《おもむき》である。

北部域は山続きのために「山原《やんばる》」と呼ばれ、ことに大宜味・国頭域は人跡未踏《じんせきみとう》の原生林が折り重なり、集落は山裾の海岸縁《べり》にポツンポツンと点在している。海岸線は険阻《けんそ》で、集落をつなぐ陸路もほとんど断絶し、集落は東西の海岸ともに〝陸の孤島〟と化していた。とくに東海岸線の集落は、「北山」の領域とはいいながら、〝八重《やえ》かさび〟の山林に阻まれて今帰仁とは断絶し、放置されている。むしろ、海路は中山に直結している。

「北山王国」と物々しい名が冠せられ、領域としては中山国・南山国を合わせた面積の倍余《ばいよ》もあるが、大半は交通もままならない山国であり、人口は希薄で、国力は中山・南山にはるかに及ばず、『明史』にも「中山もっとも強く、山南（南山）これに次ぎ、山北（北山）もっとも弱し」と記録される。

南端は中山国の読谷山―金武《きん》南部と接するが、中山との間は、名護地域（北山）から読谷山（中山）までは山並に阻まれて、陸路は大半途切れている。その山並が国を隔てているのである。

つまり北山は、南の中山・南山とは断絶し、山並の向こうに孤立している恰好《かっこう》であるが、北山の強みは、海であった。

ヤマト（大和）に至る北の島々は、中山・南山より手近《てぢか》であり、古くから結びつきも強く、支配力を及ぼしてもいたことである。

明国に初入貢して「北山王」となった怕尼芝《はにし》以前の今帰仁世の主（按司）の時代、世の主は二男松千代を沖永良部島に送り込んで「永良部世の主」となし、与論・徳之島・大島（奄美）・喜界の五島（大島を除く四島とも）を支配させたと伝わる。

沖永良部というのは近世の称《しょう》で、薩南諸島屋久島の西方にも永良部（朝鮮の書『海東諸国紀』では「恵羅武」）という火山島があって、薩摩はこれを南島口として口永良部《くちのえらぶ》と名付け、奄美大島の南の永良部島（朝鮮『李朝実録』では「伊羅夫島」）は沖のかなたにあるので沖永良部《おきのえらぶ》と呼んだのである。

沖永良部島に派遣され、「永良部世の主」となった今帰仁世の主の子は、和泊《わどまり》にグスクを築いた。

これを謡ったオモロがある。

永良部《ゑらぶ》　立《た》つ　あす達《た》
大ぐすく　造《げら》へて　造《げら》へ遣《や》り

大ぐすく　造《げら》へて
又離《はな》れ　立《た》つ　あす達《た》
思《おも》ひ子《ぐわ》の　御為《ため》

――永良部の長老達（あす達）よ、「思い子」のために、大グスクを築きなさい、というもので、この「思い子」というのは、すなわち今帰仁世の主の子のことだという。その「永良部世の主」は、船を橋として島々を結んで交易し、永良部島を立派にした、というオモロも続く。

永良部《ゑらぶ》　世の主《ぬし》の
御船《おうね》　橋《はし》　しよわちへ
永良部島《ゑらぶしま》　成《な》ちやる
又離《はな》れ世の主《ぬし》の

その「永良部世の主」が造ったグスクは、石積みの城壁を巡らした三連郭《れんかく》の豪壮なグスクだったようだ。中国製の青磁・白磁が出土し、交易を裏付けている。

2

北山の明国進貢は、永楽四年（攀安知《はんあんち》十一年、思紹元年、一四〇六）一月、中山・南山とともに元旦賀使を明朝廷に派遣し、進貢を行なって以後、パッタリ途絶えた——と前章で述べた。その断絶は、実に八年（永楽十三年現在）にも及んでいた。

北山にいったい、何が起こったのであろうか。

話を八年前に戻す——。

その八年前……北山王攀安知は、流れてきた噂に、怯《おび》えたのである。

中山を乗っ取ったばかりの思紹・巴志父子が、その勢いに乗って、北山の討伐を企んでいる、というのであった。

討伐の最大の理由は、中山のヤマトへの交易や、徳之島西方の硫黄島《いおうじま》での硫黄採掘、また喜界島をはじめとする大島諸島での馬の買い付けなどを、北山が妨害している、というものであった。

明国進貢には、刀剣、金銀酒海《きんぎんしゅかい》（蒔絵《まきえ》の酒杯《しゅはい》）、金銀粉匣《きんぎんふんこう》（蒔絵函《まきえはこ》）、扇子、磨刀石《まとうせき》など日本製品は必需品であるが、中山からの交易船に対しては、沖永良部、徳之島の者たちが北山王の指示により、海賊を装って襲ってきたりするので、交易者たちはヤマトへ行くのを、尻込みしているという。

また、硫黄と馬も琉球産品として、もっとも重要な常貢品《じょうこうひん》であるが、徳之島の漁業者たちが、硫黄島（鳥島）は徳之島に属するとて、その採掘を妨害し、ために、同島で衝突すること再三に及び、馬の買い付けにも奄美諸島は消極的であり、これも北山王の指示によるものであるとして、こうした「北山の妨害」に断固たる姿勢で臨むことになった、というのだ。

北山の明国進貢も、唐営「王相府」のある那覇浮島は中山に属しており、中山の協力なしには出来ないが、その中山は、思紹・巴志父子が武寧王を討って乗っ取り、〝世替《よが》わり〟となったので、以後、北山の進貢には協力できない、唐営王相府にも、進貢品調達のための中山のヤマト交易、及び硫黄採掘、馬の買い付けなどを北山が妨害しているので、その進貢業務を行わせないよう、新しい中山王として要請している、という。

確かに、これまで北への航路では、読谷山船や中山浦添船と、沖永良部島や徳之島、大島の海域で、海ンチュたちによる交易争いから、あわや血の雨が降るかという際《きわ》どいぶつかり合いがあった。沖永良部、徳之島の海ンチュたちは、この海は北山王の海だと、強気に出ていたのだ。

硫黄島での硫黄も中山の採掘は大掛かりで、そのため徳之島はほとんど採掘できないようなこともあり、北山王から叱責《しっせき》され、徳之島漁民と中山漁民が殴り合いの喧嘩までしたことが過去にあった。

馬も、北山としても進貢に必要だから、島々に触れ回して、確保している。それを中山では、北山の妨害と言っているのだ。

今帰仁グスクでは重臣たちが鳩首《きゅうしゅ》会議を開き、中山へ弁明《べんめい》の使者を遣り、思紹・巴志父子の怒りを鎮《しず》めようではないかということにまとまりかけたが、

「甘い！」

と、これを撥《は》ねつけるように言ったのは、攀安知王の摂政役《せっせいやく》ともなっていた本部《もとぶ》大親《おおや》であった。

色黒く、顎《あご》の張った顔に、ごわごわした剛毛《ごうもう》の鬚髭《しゅし》をたくわえ、眉は太く跳ね上がり、その下の目は大きくギョロリと鋭く、肩幅が張って胸厚く……と、絵に描いたような豪傑然としたその風貌は、いかにも、今帰仁グスク第一の豪勇に相応しい貫禄であった。

名は本部テーハラ。槍、弓、大刀と、武芸は今帰仁グスク随一と謳《うた》われ、〝武本部《ぶもとぶ》〟の異名をとどろかせていた豪傑で、その名は中山にも聞こえていた。

「テーハラ」は太原とも大原とも平原とも当てられるが、ここでは太原と当てていく

ことにする。

半島の南側、本部《もとぶ》を治めていたので、その地名を冠しているわけだが、その祖はかつて〝今帰仁の乱〟を惹き起こした、「本部大主《もとぶおおぬし》」なる今帰仁按司の重臣であった。

この今帰仁の乱は「北山騒動《ほくざんそうどう》」と呼ばれており、攀安知王の祖父怕尼芝王の何代か前の今帰仁按司の時だったようだ。

老齢の今帰仁按司に、待望の跡継ぎが生まれた。千代松《ちよまつ》と名付けられた。

だが、喜びもつかの間、重臣の本部大主が謀叛し、按司を殺した。按司夫人（正室）と側室の乙樽《おとだる》は遺児千代松を守って逃げるが、産後間もない正室は、逃げ切れないと悟って、千代松を乙樽に託し、グスクの北崖渓谷を流れる志慶真川に身を投じた。

十八年後、千代松は「丘春《おかはる》」と名を変え、旧臣たちを集めて、本部大主を討ち、グスクを取り返し、今帰仁按司の座に就いた。

その今帰仁按司を、こんどは攀安知の祖父怕尼芝が滅ぼす。その時の今帰仁按司は、丘春按司ではなく、その後嗣《こうし》だったようだ。

本部大主遺族にとっては、怕尼芝は大主の〝仇〟を討って貰った恩人ということになる。で、隠れていた本部一族は世に出てきて怕尼芝に忠誠を尽くし、重く用いられた。

その本部一族の裔《すえ》が本部大親＝太原《てーはら》だという。

その本部太原が、中山の思紹・巴志父子に弁明の使者を送ろうという今帰仁重臣たちに、

「甘い」

と、異議を挟んだのである。腹から吐き出すような野太《のぶと》い一声に、一座は射竦《いすく》められたように、シュンとなった。

太原はギョロリと一座を見回して、諭すように言った。

「よいかな、ご一同。中山は世替わりしたのだ。思紹・巴志父子の世になったが、父子は南山の海辺の僻陬《へきすう》、佐敷という小村から出て、天下を奪ったのだ。息子の巴志なる者は、小柄な男で、それゆえ小按司《こあじ》などと蔑むように呼ばれていたらしいが、二十歳の時に父の思紹を継いで佐敷按司となった。そして――」

身を乗り出し固唾《かたず》を呑んでいる一同を見回しながら太原は続けた。

「そして、十年後には、南山王の叔父で、南山王をしのぐ権勢を誇り、那覇浮島の唐営に通じ、王を押し退けて自分名で明国に進貢した汪英紫《おうえいし》なる島添大里按司を苦もなく討ち滅ぼして大里按司となり、中山が南山の内訌《ないこう》に過ぎぬと、対岸の火事視して油断していたのを突いて、浦添へ侵攻し、これも一気に武寧王を討ち滅ぼし、中山王城を乗っ取った。去年のことだ。南山大里を乗っ取って、わずか三年、またたく間のことだ。恐

ろしい男だ」

「…………」

「…………」

ズシン、ズシンと胸にこたえる太原の理路整然たる弁舌に、一座は吸いつけられるように、太原を凝視《ぎょうし》している。単に豪傑然としているのみならず、摂政役もつとめるだけに、冷徹《れいてつ》な分析力もあり、説得力があった。

「硫黄や馬を巡っては、確かにこれまで徳之島や永良部島、喜界島などで、中山とやりあったこともあるし、中山のヤマト交易船を永良部島の漁民らが妨害したことはある。しかし、明国進貢で提携せざるを得ないから、この今帰仁からの達《たっ》しで、永良部島も徳之島も中山船を黙認し、近年はさしたる衝突は起こっていない」

何人かが頷く。

「それを巴志は、今のことのように、蒸し返そうとしておる。しかも、佐敷の父子は中山を乗っ取ったばかりであり、わが北山は何ら妨害もしておらんのに、いきなり難癖《なんくせ》をつけてきたのだ。このことを、ご一同はどう思う？」

「この北山を攻める口実を作ろうというわけですかな」

白髪の混じった臣が、思い当たったように言った。

「その通り。伝え聞くところによれば、巴志は、次は北山だと、公然と言っておるそうじゃ。中山による琉球の統一をするのだとも、言っておるとか。明国進貢の利を、中山一手に握ろうとするものじゃ。しかも――」

太原はゴクリと唾を呑み込んだ。太い喉仏《のどぼとけ》が動いた。

「しかも、驚いたことに、巴志は浮島の唐営によく足を運び、また唐営の懐機《かいき》という長史《ちゃくし》が、頻繁に浦添グスクを訪ねているという。巴志と密談をしているのだ。明国朝廷は、琉球のような小国が、三山に分かれて、進貢を競い合っているのは煩《わずら》わしく、出来れば一つに纏《まと》めたいと言っているという。懐機なる唐営王相府の長史は、そうした明国朝廷の意を受けて、巴志のところへ通っているのではあるまいか。巴志は唐営長史の懐機を後ろ盾にしながら、北山討伐、三山の統一へ進もうとしているに違いない」

「…………」

「…………」

一同は、食い入るように太原を凝視している。

「我らが、これまでと同じように、進貢のために、那覇へ回航していけば、巴志は、どんな難癖をつけてくるか分かったものではない。巴志は我らを陥《おとしい》れようと、罠を張っているのだ。唐営もグルになってな。巴志という男は、わずか三年が間に、南山の大按司を倒し、中山武寧王を殺して王城を乗っ取ったのだ。南山大里按司も、中山武寧王も、暴虐で民を顧《かえり》みぬというのを、討伐の大義《たいぎ》として押し出し、義兵を挙げたと言っている。わが北山に対しては、口実は色々と作れよう。過去の海上のいさかいなどを持ち出してくるのも、その一つだ」

「………」

「………」

「そのように、狙っている中で、そして、討つと決めているのであれば、こちらが弁明の使者を出したところで、聞く耳を持たぬであろうし、唐営も助けてはくれぬであろう。いや、逆に新たな策謀を巡らしてくるに違いない。巴志という男、そこが恐ろしい。大里按司を、そして武寧王と次々に討ち滅ぼしてきた男だ。弁明などに頷くほど、お人好しなんかではあるまい。だから、こちらから弁明の使者を遣ることは、逆に彼の罠に嵌まるようなものだというのだ」

「なるほど、よく分かり申した」

先ほどの半白の臣が頷き、一座の者たちも顔を見合わせて頷き合った。

「ここはしばらく、様子を見た方がよいと思う。進貢も当分は見合わせることに致そう」

太原が言い、皆頷いた。

――こうして、永楽四年（一四〇六）一月以降の、北山の進貢は途絶えたのである。そして、北山が進貢再開の道を探るどころでなくなったのは、中山の巴志の挑発的な動きが、実際に伸びてきたからであった。

3

どのように手を回したのか、北山の中山に対する防衛最前線の位置にある名護按司が、巴志に付いたというのであった。

今帰仁はすぐに重臣が名護に出向き、名護按司の真意を確かめようとしたが、名護按司は居留守か行方をくらまして、出てこなかった。必ず使者を送って返事するか、直接按司が今帰仁グスクへ来て弁明するようにと命じたが、名護按司からは何の返事もなかった。名護按司が寝返《ねがえ》ったのは、明らかであった。

しかし、今帰仁は名護按司を咎《とが》めることはできなかった。それを口実に、巴志が動くであろうと、本部太原は見たのである。

次に、名護の北方、羽地《はねじ》按司が今帰仁を見限《みかぎ》り、巴志に付いたという。

巴志は案の定、着々と、今帰仁包囲網を築いていったのである。

「名護按司、羽地按司に、どんな手を使って抱き込んだのか。ほんとに、油断ならぬ男だな」

さしもの太原も呻《うめ》いた。

「どうする、太原」

と、攀安知王は対策を急かすが、動けばそれが、巴志に口実を与えかねず、太原も万策行き詰り、東の防衛線を失った今はもう、今帰仁グスクの守りを固め、押し寄せてくる中山軍をどう押し返すか、その防衛策を練るしかあるまいと思った。

剛毅な太原だけに、戦わずしての降伏などは、念頭になかった。

「何ァに、この今帰仁グスクの険阻《けんそ》、そう易々と破られることはありません。戦って、撃退しましょう。巴志は南山大里按司、そして中山王武寧の討伐とも、隙をついて不意《ふい》討《う》ちするという姑息《こそく》なものだったと聞いております。遠路のこの今帰仁、そして山上に構えたこのグスクを攻めるに、不意討ちなどは通用しません。正面からの決戦となりましょうが、その場合、地の利を得た我らにこそ、勝機《しょうき》ありというものです」

と、太原は攀安知王の気を引き立て、自らも武将たるの血潮を沸き立たせた。

「とまれ、密偵を放って、中山の動きを探らせましょう」

「そうだな。名護按司、羽地按司からも、目が離せぬな」

「それも含めて――」

「それにしても、あの名護按司、羽地按司がな……」

攀安知は、細い鬚髭をたてた端正な顔を曇らせた。

攀安知は三十を過ぎたばかりの若さであった。

人を疑わぬおおらかな性格だっただけに、名護按司、羽地按司の〝寝返り〟は寝耳に水であった。

明国進貢のたびに、その貿易で得た明国の陶磁器類は、名護按司や羽地按司、さらに大宜味按司や、遠く辺土名を拠点とする国頭按司らにも分けてきたのであった。

「中山を乗っ取った巴志が、それだけ策士《さくし》だということでしょう。色々と脅し、賺《すか》したのではありますまいか。南山島添を討ち、あっという間に中山も乗っ取った巴志に脅されれば、生き残るためには、巴志に付かざるを得なかったのでしょう。国頭按司も巴志に付くかも知れません」

名護按司や羽地按司の人柄を知っている太原も、太い眉根を寄せて、天井を見上げ、

「おのれ、巴志……」

と、呟き、膝に置いた拳を、ギュッと握りしめた。

その天井に、まだ見ぬ巴志が、勝ち誇って哄笑《こうしょう》する様を思い描き、ギリギリと奥歯を鳴らした。

「…………」

攀安知も、太原が見上げる天井を見上げた……。

「北山騒動」を経て、怕尼芝が今帰仁按司の座を奪い、今帰仁グスクを乗っ取ったのがいつかは分からないが、中山察度に遅れること十一年、南山承察度に遅れること三年、「怕尼芝」の名で明国に初入貢し、「北山王」に封じられたのは洪武十六年（一三八三）で、洪武二十三年（一三九〇）まで七年間に五回進貢しており、その後、洪武二十七年（一三九四）まで北山の進貢は途絶え、翌年、珉《みん》が怕尼芝の後継者として進貢しているのを見れば、進貢が途絶した四年の間に、怕尼芝は亡くなっているのであり、初入貢の時、怕尼芝はすでに老齢になっていたと思われる。

怕尼芝はハネジ（羽地）、ハニシまたはカニシ（兼次）の二説あるが、羽地は今帰仁グスクから遠い、半島の根っこであり、その羽地按司は代々同地を繋《つな》いでいるから、その羽地ではなく、また兼次は今帰仁城下の集落で、兼次をハニシとも呼んでいたから、たぶんこの兼次の当て字だろう。何より、その羽地按司は中山巴志とともに、怕尼芝の孫に当たる攀安知王の討手に加わるのであるから、やはり怕尼芝は羽地ではあるまい。怕尼芝を継いだのは息子の珉である。珉の名の由来は分からないが、恐らく童名《わらびな》をそのまま当てたのだろう。珉はミンと呼び慣わしているが、これは呉音で、漢音ではビンである。

しかし、その珉は、洪武二十八年（一三九五）一月に進貢しただけで、翌年からは攀安知に代わっている。珉は即位して一年余で亡くなり、その息子の攀安知が跡を継いだのである。

攀安知も進貢名で、祖父怕尼芝と同じハニシ・アジ（按司）をつづめた当て字であろう。怕尼芝と区別するために、別字を当てたのである。

攀安知は背が高く、色白で、整った顔立ちの、貴公子然《きこうしぜん》とした風貌で、若い頃は城中の女たちの胸をときめかせていたそうだが、妃を置いてからは品行も正しく、妃との仲は人もうらやむほどに睦まじかった。妃は城下の富農にして重臣の一人の娘で、ウミトといった。漢字をあてると思戸。

攀安知が珉を継いで今帰仁按司（北山王）となった洪武二十九年（一三九六）は、折しも中山でも察度王が亡くなって代替わりとなり、武寧王の元年であった。その年一月の進貢は、中山は程復《ていふく》が使者となり、攀安知は善佳古耶（ゲンカウフヤ＝源河大親か）

を使者に立て、中山船に同乗したと思われる。南山は王叔汪英紫の時代だが、この年の進貢はない。

やがて明国は戦乱（「靖難《せいなん》の変」）となり、琉球三山の進貢も途絶える。

その建文四年（一四〇二）、佐敷の巴志が、南山の汪英紫を討つ。

その年、明国の戦乱もやっと終わり、永楽帝の世となった。その永楽元年、中山は進貢を再開した。

そして、永楽二年（一四〇四）二月には、三山が揃って進貢する。

中山武寧の使者は前南山王「承察度《うふさと》」の甥の三吾良亹《さんぐるみ》、南山は汪英紫の子の汪応祖が王代行として、唐営長史の王茂と渥周結制（彼も前年は中山使者）を使者に立て、北山攀安知の使者は再び善佳古耶であった。

そうして、永楽三年（一四〇五）までは三山揃って進貢したのであるが、その年、南山汪英紫を討って島添大里按司となっていた佐敷の巴志が、中山武寧を攻め滅ぼし、父思紹を中山王に樹《た》てるのである。

同年暮れ、明年の明国への元旦賀使派遣は三山揃ってなしたが、その永楽四年から、攀安知は、中山の新しい覇者、巴志の策略を恐れて、進貢を停止するのである。

そして、兵略に長けた巴志の魔手は、名護按司、羽地按司を抱き込み、今やあからさまに、この北山へ伸びようとしているのだった。

中山は、北山侵攻の機会を、虎視眈々と狙っていよう。口実を作るために、何らかの挑発をしてくるかも知れない。

それに乗ってはならぬと、北山は身構え、北の島々を経て、恐らく大和交易に行くのであろう、〝北山領域〟たる沖合を堂々と行く中山船も横目に見て、やり過ごしていたのだった。

4

「すぐに参れ」

巴志からの使者があったのは、永楽十三年（一四一五）の春であった。

護佐丸は瀬名波とともに、浦添へ馬を駆けた。

護佐丸は三年前、父の跡目を継いだ。父の山田＝読谷山按司はまだ六十代だが、護佐丸が中山王世子《せいし》巴志に高く評価されているのを知り、巴志―護佐丸の強固な絆を打ち固める時と見て隠退し、按司の座を護佐丸に譲ったのであった。

護佐丸は三十歳になっていた。凛然、若き読谷山按司の誕生であった。

その報告に、父子で浦添グスクに上がった時、巴志は護佐丸を、

「予《よ》の右腕となれ」

と、位置付けたのであった。

巴志の武略に共鳴していた護佐丸は、その一言に震えるような感動を覚え、

「はいッ！」

と、手を突いたことであった。

巴志は度々、護佐丸を呼んで、腹蔵《ふくぞう》なく、三山統一の夢を語った。

護佐丸は、それが単に覇権《はけん》という私欲《しよく》からでなく、また、大明国の傀儡《かいらい》的な海辺の属国として生き延びようとする従属的な姿勢でもなく、明国進貢も、この海邦を大きく育て上げるための一手段と考えていることに、視野を開かされたのである。

「国は小さくとも、魂《たましい》は一国としての矜持《きょうじ》を持たねばならぬ。従属国として、へりくだっている中からは、琉球たるの気概《きがい》は育たぬ。進貢も明日の琉球の肥やしである。肥やしは干からびさせてはならぬ。絶えず潤わせていかねば肥やしにならぬ」

巴志は、そのように言うのだった。

進貢は明国の恩に浴するという受け身のことではなく、琉球の発展の肥やしであると、あくまで、琉球の国造りという立場で行なおうとしているのだった。

日本や朝鮮との通交も、単に「物」の調達のことではなく、国を大きく開くための通交としてとらえねばならぬ。だから、明国との進貢も、日本・朝鮮との通交も、「物」の調達ではなく、国を開くものとして、位置づけねばならぬ。あくまでも、それは我が琉球の発展の肥やしである——と。

巴志は、そのように言うのだった。明国進貢も、「大明国」の傘の下で富むことが目的ではなく、あくまで自らの力、すなわち琉球の力を付けていくために、利用するというのだ。

護佐丸は、大きく目を開かれた思いであった。

「琉球は海洋に漂う小国である。それが三山に分かれて優劣を競っているような有様は、愚《ぐ》の骨頂《こっちょう》である。琉球として、一つに纏まって道を拓く視点を持たねばならぬ。三山がそれぞれの殻に閉じこもって、ただ己の損得《そんとく》のことのみを考えている中からは、何も生まれぬ。生まれるどころか、気概を殺してしまうも同然——」

と、巴志は言うのであった。

護佐丸は、巴志の新たな国造りへの、壮大な構想に呑まれていた。

そして、この人とならと……と、意を固めたのであった。

「参ったか」

巴志は護佐丸を見ると、すぐに書院に伴った。瀬名波も一緒である。

他に、誰も交えなかった。密命を下すのである。

「兵をつくれ」

と、巴志は言った。

何のためかは、訊くまでもないことであった。北山討伐のことを言っているのだ。

「急ぎ、二百だ」

「二百、ですか」

山里の山田＝読谷山グスクでは、容易《たやす》いことではない。単なる人集めではない。戦う兵をつくるのである。

護佐丸は天井を見上げ、素早く村々の人口と、若者たちを概算した。

「どうだ、出来そうか」

巴志は護佐丸が軽く頷きながら概算している様子をしばらくそっと眺めていたが、護佐丸が顔を戻すと、畳みかけた。

「はい。何とか……」

「うむ。すでに各按司たちにも指示した。総勢、三千はつくりたい。今度のいくさは、不意討ちの利かぬいくさとなる。正面からの戦いだ。しかも、向こうは地の利がある。

それを打ち破るには、怒濤《どとう》の兵力をもってせねばならぬ」

「…………」

「向こうには、本部太原《もとぶてーはら》なる剛の者がおる。単なる剛の者ではない。知恵者だ。姑息な策の通じぬ相手だ。それも地の利は向こうにある。従って、こちらとしては、まったく正面からのぶつかり合いにならざるを得ない。精兵《せいへい》をつくらねばならぬ。弓だ。弓の戦いとなろう。弓の兵をつくるのだ。刀はいうまでもないがな」

「はい！」

護佐丸は、身体が震えるのを覚えた。武者震《むしゃぶる》いである。

「ただちに取り掛かれ。弓や刀は、足りない分は、この浦添から運べ」

と、巴志は命じた。

「挙兵は、いつごろになりましょうか」

「各按司たちの兵力が整い次第だが、じっくり構えてやろう」

巴志は、挙兵の時期はぼかしたが、しかし、遠いことではないと護佐丸は呑み込んだ。

「分かりました！」

護佐丸は、沸き立つ気持を抑えて、傍らの瀬名波と頷き合ってから、おもむろに手を突いた。

「頼むぞ」

と、巴志は微笑を浮かべて頷いた。

しかし、護佐丸は間もなく、一筋縄でいかぬ巴志の才略に舌を巻く。

今帰仁グスクの本部太原は知恵者で、策略は通じぬといいながら、みごとに填《は》めたのである。

その年、永楽十三年四月、北山が実に十年ぶりに、中山とともに、明国に進貢した。

北山が、頑なになって中断してきた進貢を、十年ぶりに〝再開〟したのは、どういういきさつなのか。

浦添へ出向いて、護佐丸が訊くと、巴志はニヤニヤ笑って、

「どう思う?」

と、逆に訊くのだった。

護佐丸は自分なりに推測していたことを言った。

「もしや、唐営をお動かしになったのでは?」

「ふむ、読んだか。さすがだ。その通りだ。今帰仁を油断させるためだ」

巴志は、唐営長史の懐機《かいき》に通じ、懐機は今帰仁に使者を送り、長年進貢を断っている

のはどういうわけか、明国朝廷も不審《ふしん》に思っている、中山と折り合いが悪くなって進貢を中断しているとも伝え聴くが、進貢は明国が保証しているのであり、中山を気にすることはない、中山には唐営からも、進貢は提携して行なうように要請するので、懸念は払って進貢は継続されよ――と、そのように伝達させたというのであった。

北山は喜んで、唐営が介入するなら、巴志も否やはあるまい、北山侵攻を企んでいることを、巴志は明国から窘《たしな》められているのだと、北山に思い込ませる巴志の策略だったのである。

「他にも、北山を〝安心〟させたことがあるな」

と、巴志はいたずらっぽく笑った。

護佐丸が首を傾げると、

「遷都《せんと》だ」

と、巴志は言った。

「遷都……」

そう言えば、その言葉が最近とみに聞こえるようになったな、と護佐丸も思い当たった。

首里への遷都のことは、かねて、中山の按司たちにも伝えられていた。そして、首里の丘に王城を築くべく、縄張りも始まったとも聞こえてきていた。

「では、いよいよ……」

「いや、今は、縄張りが終わったところだ。これから、いよいよ、首里御城《うぐしく》の建築に入る。すでに、石工《いしく》たちを動員して、城壁の石の切り出しも始まっているが、これからだ。本格的な工事に入れば、中山の各按司たちの力も借りねばならぬ。国を挙げての大工事だからな。その節は、読谷山からも人夫を出して貰うことになろう。頼むぞ」

「はい！」

うむ、と巴志は頷いて、

「北山を安心、いや油断させるというのは、このことだ」

「首里遷都に向けて、忙しいと……」

「そういうことだ。首里御城創建と遷都は、中山の国を挙げてのことになる。他事《たじ》にかかずらっている余裕はないと、見せるわけだ。そうした噂は、北山にも流している」

「なるほど……」

と、護佐丸は、巴志の策を呑み込むように、唾を呑み込んだ。

「十年ぶりの進貢の再開、そして中山の遷都準備――。北山は安心しているはずだ。その油断を突く。数日がうちにも、中山の按司たちを一堂に集めて、北山攻めの段取りを決めるが、各按司たちにはすでに兵の確保と訓練を指示してある。読谷山の兵の仕上がり具合はどうだな？」

「はい、兵二百、訓練を続けております。いつでも動かせます」

護佐丸は一気に、身が引き締まるのを覚えた。

「そうか。頼もしいな」

「このいくさ、我ら父子にとっては、遠祖《えんそ》の仇討《かたきう》ちでもあります」

護佐丸の祖先は、怕尼芝按司に滅ぼされた前の今帰仁按司であった。今帰仁按司の一族は、討たれた者もあれば、地方へ落ち延びた者もあった。護佐丸の祖父も今帰仁半島を東に逃げ、さらに南下して、今の読谷山山田の山中に隠れ、追討に備えて、山中にグスクを築いた。それが山田（読谷山）グスクである。

「そうであったな。前におぬしのお父上、山田按司から聞いた。お父上は息災《そくさい》か」

「はい。隠居とは名ばかりで、表に出てきて、あれこれと口うるさく指図したりしておりますが、それは自分をないがしろにするなよという年寄りの見栄《みえ》で、普段はいつも孫と遊んでおります」

「ははは。孫はいくつだ」

「はい、上の子はもう十一、盛千代《もりちよ》と名付けました。下に女児も生まれてこちらはまだ三つ――」

「ふむ――」

と、巴志は頷いて、

「そなたはもはや、押しも押されもせぬ読谷山按司だ。今は中山の北の守りであるが、北山を討てば、北山と中山を繋ぐ位置にある。もっとも、その位置づけは北山を討った後に、改めて考えていくことにして、今は北山を討ち、その北山域を我が中山に組み込むことだ。そなたにとっては、北山討ちは父祖の仇打ちでもあるゆえ、そなたを、大手《おおて》門《もん》を攻める大将の一人にしよう」

「はッ！」

護佐丸は感極まって、ハタと手を突いた。

「越来按司、具志川按司にも含めてあるが、今帰仁按司領下の名護按司、羽地按司、そして国頭按司も、北山王の今帰仁按司を見限り、我に付いた。手を携えて、いよいよ北山討伐だ」

「はいッ！」

「偵察したところ、今帰仁グスクは山上に百曲《ももま》がりの城壁を巡らして、これを陥《お》とすのは容易ではない。また、攀安知は若いながら、その武勇は知られており、側近の本部太原は、武本部《ぶもとぶ》として広く聞こえる剛勇だ。武略にも長けているという。私が南山の島添大里を討ち、中山武寧王を討ったのは、半ば奇襲であった。しかし、こたびは、奇襲は通じぬ。北山は遠く、兵を動かせば、北山が身構える余裕は十分にある。油断させたと申したが、我らの挙兵で、北山は急遽、迎え討つ態勢を整えよう。油断させたのが、どれだけの効果があったか分からぬ。ともかく、双方向かい合っての激突となる。ま、一工夫は試みてみるつもりだが、通じるかどうかも分からぬ。本部太原は剛直で、姑息《こそく》な策など一蹴するかも知れぬ。ともかく、この北山討ちは正面からの戦いとなることを覚悟してかからねばなるまい」

「はいッ!」

「出陣は十日以内である。各按司たちには、その段取りをつける使者をすでに送ってある。出陣日は二日前に早馬をもって伝える。いつでも応じられるようにしておくことだ」

巴志はこう言って、各按司軍の集結と進撃の段取りを、護佐丸に告げた。

「そなたには父祖の敵討ちでもある。今帰仁グスクを奪還する気構えで臨め!」

「はいッ!」

護佐丸は、身体の底から沸き上がる武者震いを覚えつつ、ハッシと、手を突いた。

5

琉球の二、三月は「うりづん」という。降《お》り積もる——の意で、春の慈雨《じう》で大地が潤《うるお》い、草々が芽を出し、麦穂が出始める。種々の種蒔《たねま》き、植え付けの季節である。そして、まもなく山々も新緑の季節、「若夏《わかなつ》」を迎える。初夏である。

琉球は基本的に、農業社会であり、農繁期に入る。

永楽十四年（思紹十一年、一四一六）三月十一日——。

〝うりづんべー〟と呼ぶ爽やかな南風《はえ》が吹き渡る明け初めの野良道を、延々たる兵列が、意気高く、北進していく。

巴志がわざわざ、この「うりづん」「若夏」の農繁期に挙兵したのは、これも北山を油断させるためでもあった。この季節は、どこも農事に忙しい。兵を集める余裕はない——と、北山では踏んでいるだろう。その隙を衝くのである。

前年の十年ぶりの進貢再開も、中山の妨害もなく無事に済ませ、そして、中山は首里遷都で首里御城創建などで忙しいだろうから、北山侵攻どころではなかろうと、北山は胸を撫で下ろしているだろう、そんな中での農繁期——よもや、この時期に兵を挙げることはあるまいと、高を括っているであろう。

裏をかくのである。

巴志の戦略は、抜け目がなかった。

十一日の明けもどろ（夜明け）、中山王城浦添グスクの城門前には左右に篝火《かがりび》が、パチパチと音を立てて火の粉を散らし、その中央に、思紹王と甲冑姿の「王子」巴志が胸を張り、麻の神衣《しんい》をまとった王妃と王子妃、グスク神女たちが背後に居並んだ。

神女頭《しんじょがしら》が進み出て、王子巴志の頭上に向けて、神酒《みき》漬けのクバの葉を打ち振った。雫《しずく》が篝火を受けて飛び散った。巴志は恭《うやうや》しく礼をしてから、胸を反らした。

思紹王が白房の指揮棒を前へ、颯《さっ》と振った。指揮棒はゼイ（麾）という。

進発せよ！

巴志は父王からゼイを受け取って恭しく一礼し、石段を降り、曳かれてきた大和馬に、鐙《あぶみ》を踏んで、ヒラリと飛び乗った。

城門前を埋め尽くした兵たちを見回してから、ゼイを掲げ、

「これより、北山今帰仁へ向け、進発《しんぱつ》する。いざ！」

と、ゼイを振り下ろした。

「おうッ！」

――と、天地を揺るがす兵たちの鯨波《げいは》が轟いた。

そのような出陣の儀式を経てきた兵列は、今、曙光の中を、無数の幟旗をはためかせて、意気高く進んでいた。

各小隊の先頭にはためく幟旗には、㊁ではなく、今や左三ツ巴の中山王紋が朱で染め抜かれていた。

十数人の将たちは甲冑姿の騎馬、従う徒歩《かち》の兵たちは小具足《こぐそく》で、槍や長刀の刃先をきらめかせ、弓を背負い、種々の武具は馬の背に積んで、進んでいく。進軍の勇ましさは、兵たちの士気を鼓舞するだけでなく、天下人民に新王権の威勢を誇示する狙いもある。

浦添グスクを進発したのは、巴志率いる本隊である。兵一千。

途中、北谷按司、中城按司、越来按司の勢《せい》が合流し、同日中に読谷山山田グスクに達した。

その読谷山グスクでは護佐丸が出迎えた。ここで一泊するのである。

巴志と北谷按司、越来按司と主だった将は護佐丸に導かれて、グスクに入った。

護佐丸の手配で、広間には酒肴《しゅこう》の準備がなされていた。

護佐丸の父、先の読谷山（山田）按司も、出迎えていた。

「世話をかける」

と、巴志は護佐丸の父に、手をつかえた。

「いよいよでございますな。我が読谷山にとっては、父祖の仇討ちでもありますれば、それがしも駆け付けたく気が逸《はや》りますが、年寄りは足手纏いなれば、我が息子に気持を託して、凱歌《がいか》を待ちましょう」

もう六十半ばの護佐丸の父は、髪は薄く白くなっていた。その傍らで、護佐丸は照れ笑っていた。

「護佐丸按司は我とともに、大手《おおて》の将に立てましょう。とくに仇討ちの名乗りを、お父上の思いも添えて挙げさせますれば、本望《ほんもう》でございましょう」

「有り難きお言葉、嬉しい限りでございます。この爺、もはや思い残すことはありません」

前山田按司は深く手を突いた。

「いやいや、お父上には長生きして貰わねばなりませんぞ。我が父もなお頑張っておりますれば。——あ、そうだ、お孫、名前は何と言いましたかな」

「盛千代でございます。十一になりましてございます」

護佐丸が答えた。

「そうそう、盛千代。どれ、せっかくだから、顔を見ていこうか」

護佐丸が返事をする前に、

「有り難き幸せ……」

と、護佐丸の父は頭を下げ、背後を振り返って、後に控えた臣に、

「これ、盛千代を連れて参れ」

と言い付けた。

護佐丸は首を振って、苦笑《にがわら》った。

巴志もその護佐丸に、うんうんと頷き微笑んだ。孫の可愛さ、孫自慢は、どこの親も同じだ。巴志にも嗣子（後の尚忠《しょうちゅう》）に孫（後の尚思達《しょうしたつ》）が生まれており、もう七つになっている。

瀬名波が、盛千代を連れてきた。

護佐丸は頷いて盛千代を招き寄せ、傍らに座らせた。

「さ、中山王子様に、ご挨拶を――」

盛千代は緊張して目をパチクリしていたが、「これ」と父に促されて、手を突き、

「盛千代にございます」

と、黄色い声で挨拶した。

「おお、盛千代か。うむ、良い子だ」

盛千代は、手を突いたまま、つぶらな瞳で、巴志を見上げていた。可愛らしさの中にも、物怖《ものお》じしない面構えが覗いていた。

巴志はそれを見抜いたように、頷き頷き、

「盛千代。そなたの父上はな、これからいくさに参るが、兵を率いる強い武将だ」

「…………」

盛千代は、目を見開いて、巴志を凝視している。

それに頷き返しながら、巴志は教え諭すように言った。

「盛千代もよく武芸を学び、お父上のような立派な武将になるのだぞ」

「はい！」

盛千代は元気よく答えた。

ふんふんと、巴志は笑顔で頷いた。

「さ、盛千代――」

護佐丸が促した。

「父たちはこれからお話がある。下がってよいぞ」

「はい」

盛千代は、巴志に頭を下げてから、元気よく立ち上がった。

「瀬名波――」

と、護佐丸は後ろに控えていた瀬名波を呼んだ。

瀬名波は立ってきて、盛千代を促して、広間を下がった。

「手間を取らせて申し訳ありません」

と、護佐丸は巴志に詫びた。

「何、可愛い孫を見れば、我らも元気が出る。我らを継ぐ者たちだ。盛千代は立派な跡継ぎになるだろう。いい面構えをしておった」

並んでいた越来按司、北谷按司も、

「まことに――」

と、微笑んでいた。

護佐丸は、何やら温かいものが気持を浸《ひた》すのを覚えた。

改めて、巴志の人間性を覗き見たように思った。

初めて巴志に目見得した時、武略の人と思えば、峻厳《しゅんげん》であろうと気持を強張《こわば》らせていたが、ざっくばらんな大らかさを持った人で、それが人を惹き付けるのだと知った。

武寧王を討ち、中山を乗っ取った、本来なら敵であるべき巴志に、中山の按司たちが、一も二もなく従い、心を寄せるのも、そうした隔意《かくい》のない大らかさ、人間的な大きさを見たからであろう。

今、北山を攻めるに当たって、敵方の名護按司、羽地按司、そして国頭按司を抱き込む策を巡らしたのは、むろん巴志得意の策略であろうが、その北山の三按司が一も二もなく付いたのは、ただ脅しに屈服したのではなく、そのことも絡ませた密使の懇切な説得によるものだったようで、三按司ともそこに、巴志の大きさを見たからに違いない。

しかし今、血の雨が降ることになるであろう大いくさへ向かっているというのに、幼子《おさなご》を励ましたりするこの余裕は、むろん、出陣したからには十分な勝算に裏打ちされてのことで、その余裕かも知れないが、そんなものだけでなく、やはり人の大きさであろう。

盛千代を下がらせて、巴志は広間の按司や将たちに、姿勢を回した。

「皆、ご苦労であった。いくさの最後の詰めは明日、名護按司を加え、羽地の寒汀那《かんてな》（勘手納）で羽地按司、国頭按司を加えて行なうことにする。今宵は夜食のあと、少々の酒肴も用意してきたが、護佐丸按司からも酒肴の差し入れがあったので、鋭気を養って、明朝は夜明けとともに出発する」

巴志はもう、いくさに向かう顔になっていた。切り替えも早い。

夜食は馬で運んできた白米を焚き、これも運んできた菜漬け、鶏肉と豚肉、魚の干物《ひもの》などであった。

巴志は按司たちと、なごやかに杯を交わし合った。

明けて十二日――。

陽の登る前に、読谷山を発した。

北谷按司、越来按司、中城按司、読谷山按司護佐丸の勢を加えて、兵は二千余に膨れ上がっていた。

読谷山からは険しい山続きで、陸路も途絶えていたが、海岸沿いに進んだり、険阻になると丘の草道を登り、また山道を切り開きながら進んだ。この道筋は、護佐丸が読谷山の者たちに探索させて、あらかじめ設定してあったもので、その読谷山兵らが道案内に立っていた。

名護に到って、名護按司率いる兵三百五十が合流、その日のうちに、羽地按司の領下、羽地内海の寒汀那《かんてな》の港に至る。入江には、羽地按司と名護按司、国頭按司が手配した船が大小数十隻舫《もや》っていた。

羽地按司率いる兵二百余が加わる。そこには国頭按司率いる山原軍百余がすでに到着していた。

今帰仁攻略軍は、総勢およそ三千――。

羽地グスクで、兵力の手分けがなされた。

大手《おおて》軍は、浦添の巴志本隊に、護佐丸の読谷山軍、羽地按司、中城按司、国頭按司勢《ぜい》のおよそ二千。

搦手《からめて》軍は、越来按司・北谷按司・名護按司のおよそ一千。こちらは越来按司が総大将である。名護按司も北山口《ぐち》の守りだっただけに、兵力も多く、名護按司自体が剛の者で知られていたが、理由は何であれ、北山を裏切って巴志に付いたのであり、寝返りの後ろめたさもあり、また今帰仁からは「逆賊」として罵られ、今帰仁の抵抗を正当化する口実を与えることも考慮して、殿《しんがり》に付けた。

寒汀那港を発し、搦手軍は今帰仁グスクへ近い呉我《ごが》、湧川《わくがわ》の小港で下船して、山道を切り開きながら登る。

巴志率いる大手軍は、そのまま船々を進め、運天《うんてん》と古宇利島《こうりじま》の間を抜けて半島を回り込み、親泊から上陸する——として、十三日早朝、船団は寒汀那港を発した。内海を埋め尽くす船団であった。

6

中山の大軍が名護に至り、名護按司の勢を加えて北上、羽地に向かったことは、早馬で今帰仁グスクに届き、追っ付けて、羽地の寒汀那港に、羽地按司、国頭按司の勢が集結している報も入ってきた。

本部太原《てーはら》はこの日、親泊に下りていた。去年の再開に続き今年も明国に進貢するつもりで、すでに朝貢用の硫黄と馬数頭を永良部島、徳之島から仕入れ、硫黄は船倉に、馬は港の馬場に繋《つな》いであった。

硫黄は鳥島で、中山と競合する形で、徳之島海ンチュに採取させているが、中山を刺激しないため、現地での鉢合わせを避けて、速やかに採取し、もし鉢合わせしたら、丁寧に挨拶して了解を得ながら行なうよう指示していた。

馬は永良部島で調達した。

それらの様子を、直《じか》に海ンチュたちから訊くために、太原は下りていたのである。

そこへ、グスクからの坂道を、砂埃《すなぼこり》を巻き上げて騎馬の使者が飛んできて、中山の来攻を伝えたのである。

「何ッ？」

と、太原は太眉を吊り上げて目を剥き、すぐに乗ってきた愛馬に飛び乗って、グスクへ駆け登った。

城内は、蜂の巣を突いたような騒ぎになっていた。人々は太原の姿を見ると、守り神を迎えたように駆け寄った。

館《やかた》の露台《ろだい》に出ていた攀安知は、太原が「按司添《あじそい》の前《めー》！」と駆け込んでくるのを見ると、救われたように、

「太原、一大事ぞ！　中山が押し寄せて来たぞ、名護、羽地、国頭按司も合流したというぞ」

と、叫んだ。

「まんまと、我ら、謀《はか》られましたな」

太原は落ち着いた声で応じた。

グスクへ登ってくる馬上で、太原は中山巴志の奸計《かんけい》に歯軋《はぎし》りしながら、どうするかも考えてきたのだ。

「うむ。我らを油断させて、不意討《ふいう》ちぞ、これは……」

攀安知も歯軋りし、

「どうする、太原？」

と、思考停止した顔付きで、縋るように太原を見た。

寝耳に水……敵はもはやすぐ背後、足元に迫っているのだ。今から村々へ早馬を飛ばして兵を集めようにも、もう間に合わぬ。おまけに村人たちの大方は、すでに畑へ出ていることだろう。植え付けの季節なのだ。山仕事にも出ていよう。

「今となっては打つ手もありません。ともかく急ぎ、城下の志慶真《しげま》、兼次《かねし》、諸志《しょし》、仲尾《なかお》次《じ》の村々に早馬をやって、集められるだけ集めましょう。グスクの者二百に、彼らを加えて、四百は作れましょう。とはいえ、中山の大軍に対して、たかだか四、五百では、それこそ隆車《りゅうしゃ》に向かう蟷螂《とうろう》が斧《おの》。この寡勢《かぜい》をもっての、外郭での迎撃は、一気に破られましょう。破られれば、一巻の終わりです。外郭は捨て、この内郭本丸にて、籠城《ろうじょう》の構えで撃ちましょう。何、このグスク、そう易々と破られますまい。城内には、弓矢もたっぷり積んであります。地の利も我にあります」

攀安知は愁眉《しゅうび》を開くように頷き、

「よし、すぐ手配してくれ」

と、命じた。太原は、ハッ！　と手を突いてから、内殿を飛び出していった。

やがて、蹄の音が城外に乱れ、駆け去った。村々へ兵を集めに行くのだ。

「城内の者ども、皆、集まれ。大《おお》いくさだぞ、大隅《おおすみ》に集まれ、集まれ！」

と、非常招集をかける太原の大声が城内に響いた。

籠城の態勢が取られた。武器蔵から弓矢が運び出され、青竹《あおだけ》の石弾投擲器《せきだんとうてきき》も二機運ばれて据え付けられた。裏の志慶真門にも一機を備え付けた。

太原は甲冑《かっちゅう》を鎧《よろ》う。星兜《ほしかぶと》に、大鎧《おおよろい》は柿色縅《かきいろおどし》。大柄の太原の甲冑姿は、荒武者然として、味方には守護神に、敵には威圧感を与えずには置かぬであろう、威風堂々たるものであった。

重臣たちも甲冑姿になり、兵たちは腹巻鎧や小具足。武器・武具はすべて大和との交易で揃えてあった。

按司館では、攀安知も堂々たる甲冑姿で、床几《しょうぎ》にどっかりと座した。兜には鹿角《しかづの》を立て、赤糸縅《あかいとおどし》の大鎧である。

やがて、正門の平郎門、裏門の志慶真門から、三々五々、掻き集められた農民兵らが入ってきた。

しかし、急なこととて、集められたのは、せいぜい二百余に過ぎなかった。

城内の兵にあわせて、四百余。——ともかく、これだけで、迎え撃つほかなかった。

太原は、将たちに、籠城の手筈を申し渡した。

「籠城とは、単に立て籠もることではない。中から攻撃するのである。籠城の武器は弓矢と、石弾投擲《せきだんとうてき》である。城壁上には板楯《いただて》を巡らし、攻め寄せる敵へ、矢を雨と降らせよ。この大手門も搦手の志慶真門もだ。裏も表も、敵は坂を這い上ってくる。我らは上から見下ろし、地の利は我にあり。矢の雨、石弾で、這い上る敵を蹴散らせ！」

太原は檄《げき》を飛ばしながら、小勢《こぜい》とはいえ、この籠城作戦が功を奏せば、敵は攻めあぐねて、遂には攻略を断念するかも知れぬ、中山軍を撃退できるかも知れぬ、撃退すれば、これに懲《こ》りて、以後の来攻も諦めるのではあるまいか、あるいは、巴志は和睦《わぼく》を申し出て来るかも知れぬ……と、望みさえ湧いてきたことである。

　攀安知の前へ出て、

「外郭の者どもはみなこの内郭へ移し、女たちは御内原に入れ、兵の主力はこの大手門に置き、ここは按司添の前に守っていただき、我は搦手の志慶真門を守りましょう。大手門には按司添のお側に、剛の者どもを付けましょう」

「うむ！」

「むろん、敵の動きによって、臨機応変《りんきおうへん》に守りも変えていきます。この籠城は、却って我らを利するやも知れませんぞ」

「そうか」

　攀安知の顔にも、明るい色がさし、微笑が生まれた。

　そこへ、大手門の兵が駆け付けてきて、外郭の門兵からの伺いを取り次いだ。

「中山軍の軍使が、外郭門外に待機しているそうです。いかが致しましょうか」

「軍使だと？」

　太原がギョロリと目を剝いた。

　攀安知も眉を吊り上げた。

　太原は、もしや和睦の申し入れ？　と、さきほどの想像を思い浮かべたが、あり得ぬ、とそれを振り払った。まだ何も始まっていないのだ。攻め寄せながらの軍使ではないか。

太原は、攀安知を振り返って、

「降伏勧告《こうふくかんこく》でしょうな」

と、見透《みす》かしたように言った。

攀安知も頷いた。

「ともかく申し状を聞いてみることに致そう」

攀安知は落ち着いていた。

「はい」

太原は応えて、門兵に軍使を通すように言い付けた。

まもなく、大手の門兵に導かれて、三人の〝軍使〟が登ってきた。先頭の者は白旗を掲げていた。白旗は軍使の印である。

三人は、甲冑は着けず、着物姿である。刀は差していた。口髭を生やした二番目の男が軍使で、白旗を掲げて先頭に立った者と、三番目の者は従者であろう。こちらも刀は差していた。三人は物々しい城内の守りを見回しながら、しかし軍使だから、危害の恐れなしと見てか、臆《おく》したそぶりもなく、胸を張って、攀安知と太原の前へ案内されてきた。従者は庭先に留め置かれた。

軍使は手をつかえて、

「それがし、中山世子《せいし》巴志様の使いにて、内間大親《うちまおおおや》と申す」

と、名乗った。

太原は受けて、

「当グスクの摂政役、本部太原——」

と、名乗った。

内間大親は、「ほほう」と、目を瞠《みは》った。太原の武名を聞いていたのだろう。

太原は少し胸を反らして、

「して、使者の趣《おもむき》は？」

と、促した。

内間大親は、敬意をこめたように軽く頭を下げてから、

「されば、申し上げまする」

と、使者の口上を述べた。

「我が世子様は、かように仰せである。大軍を催して来たが、もとよりこれはわが中山の威勢を示すためである。しかし、我はいたずらに、あまたの兵の血を流すいくさは好まぬ。あまたの兵は罪なき人の親、人の子、そして農民である。だが、己が権勢を濫用《らんよう》

して暴君となり、国を乱し、民人を塗炭に陥れる世の主は世の主に非ずとて、南山の島添大里按司の汪英紫を討ち、また中山の暴君武寧王を払って、中山に平安をもたらした」

「…………」

「…………」

攀安知と太原は、黙して聞いている。

内間は続けた。

「しかしながら、この琉球はいまだ三山に分かれ、いくさの火種《ひだね》を抱えたままである。明国からも、いがみあいを止め和睦せよと、たびたび勧告されている。小さな琉球が、三山相競《あいきそ》って進貢してくることも煩わしいのではありますまいか。で、我が世子様は明国の意向も踏まえながら、三山合一《ごういつ》を考えておられる」

内間は言葉を切って、端然と座している攀安知と太原の顔色を窺うように見遣った。見遣って、攀安知が意外に若く、色白の整った顔立ちの、貴公子然とした凛たる姿なのを、ちょっと意外に思った。政事はすべて剛健の本部太原が取り仕切り、飾りのような存在だと聞いていたからである。その攀安知の背後には、金色《こんじき》の太刀《たち》を捧げ持った小姓が立っていた。

「合一とは？」

太原が太眉を少し吊り上げて、内間へ目を剥《む》いた。

内間はたじろいだが、ここが使者の胆《たん》の問われるところだ。

「我が中山の幕下《ばっか》に入られよ、ということでござる」

ズバリと言った。

「何もせず、降伏せよ、とか！」

太原が怒りの声を落とした。攀安知も眉根を寄せて、内間を睨んでいる。

内間はひるまず、太原と攀安知を見返し、

「さようにござる。すでに、我が軍のことは偵察されておられよう。さよう、総勢三千余。名護按司、羽地按司、国頭按司も我が中山との和平を求めて降《くだ》り、ともにこの軍に加わっておられる。今帰仁グスクは孤立も同然。軍はすでに羽地寒汀那港を発した。躊《ちゅう》躇《ちょ》なさっている余裕はござらぬ。今、降伏をご承諾下されば、血を流さずとも済みます。グスクの者、領民を救うために、ご英断を――」

内間は手を突いて、窺い目を上げた。

太原は膝を回して、攀安知を見遣った。攀安知はかすかに頷いた。任せる、という頷きであった。

太原は頷き返して、膝を戻し、やや顎を上げて、内間を見下ろし、片口笑《かたくちわら》いを浮かべて、

「随分と、我らを見下《みさ》げ、侮《あなど》った言いぶりだな」

と、皮肉るように言った。

「いえ、決して、そのようには……」

内間は少しうろたえて、言葉を詰まらせた。

「そうではないか。喉元に刃を突き付けて、さあ、今すぐ降伏せよと？　血を流さずとも済むだと？　領民を救う道だと？」

「そ、それこそが、最良の道かと……」

「黙れ！」

太原は大石を落とすような太い怒声を発し、突き刺すように内間の顔面を指差した。

内間は、ビクリと、肩を上げた。顔が強張った。

太原は鋭く指差したまま、内間を睨み据えて言った。

「その方らに、我が領民のことを、とやこう言われる筋合いはない。我らは、領民を守ってきた。つましいながらも平穏に、その暮らしを成り立たせてきた。それを掻き乱しに襲ってきて、救うだと？　屁理屈《へりくつ》もいいかげんにせよ」

太原は内間を鋭く指差していた手を下ろし、しかし、なお刺すように内間を睨み付けながら、

「その方らが攻めて来なければ、我が領は平穏であった。血を見ずに済むのは、領民の平安が守られるのは、その方らが、軍を引き払えば済むことではないか。三山の合一を図るのであれば、三山の王が一つ座に就いて、話し合えば道が開かれよう。それをなそうとするのでなく、また我らが不穏《ふおん》な動きをしているのならいざ知らず、何もしかけていないのに、いきなり大軍を催し、力で屈服させようというのは、まさに世を乱すものではないか。愚弄《ぐろう》するのも、いい加減にせよ」

「…………」

その時、射竦められていた内間が、黙って目を上げ、姿勢を直した。

（何だ？）

太原は、内間が何やら含んで、立ち直ったかと、疑いの眼差しを向けた。

7

内間は、真っ直ぐ太原を見、さらに背後の攀安知へ視線を流し見てから、おもむろに、太原へ視線を戻し、

「ならば、申し上げましょう」

ゆったりと、落ち着いた口調である。首を傾《かし》げ、片口笑いを浮かべている。

「何だ？　何が言いたいのだ」

「何もせぬ、平穏を守ってきた、との仰せだが、果たしてそうでありましょうか？」

「何？」

言い負かしたと思っていた太原は、この期《ご》になって、内間が何を言い出すのかと、睨み据えながら、少し首を傾げた。

「この今帰仁は、血塗《ちぬ》られた過去をお持ちだ。領民をも犠牲にしてな」

「何だと？」

太原が目を瞋《いか》らせたのを、内間は受け流して、

「今の今帰仁の世は――」

と、攀安知王へ視線を流し、軽く頭を下げて敬意を示してから、

「率直に申し上げますが、攀安知王の御祖父《ごそふ》、怕尼芝王は、いかにして今帰仁按司の座に就かれたか、お忘れではありますまい」

静かに、言い含めるように言った。

「何を言い出すのだ」

太原が怒りの声を発した。

内間は太原に視線を戻した。

「そなたのご先祖も関わることです」

抑え込むような口調になっている。

「…………」

気を呑まれて、太原は絶句している。

「今では〝北山騒動〟などと言い伝えられておりますな。かつて今帰仁世の主を、本部大主が奸計を用いて滅ぼし、世の主一族を血祭りに挙げて、世の主の座を奪った」

「…………」

「そして、暴政《ぼうせい》を敷いた。前の今帰仁世の主を慕う領民は悉《ことごと》く罪に落としたという。しかし、今帰仁世の主一族には、落ち延びた者たちもあった。幼い御世継《およつぎ》も、臣下に守られて隠れた。その御世継――丘春《おかはる》と申したそうだが、丘春は成長して、本部大主を討った。仇を討って、今帰仁按司の座を取り戻した」

「…………」

「…………」

太原も、攀安知も驚きの表情で、黙している。

内間は続けた。

「しかし、その今帰仁按司を、こんどは怕尼芝按司が滅ぼして、今帰仁按司となった。丘春に滅ぼされた本部大主の子は世に隠れていたが、怕尼芝按司が父の仇を討ったため、世に出て、怕尼芝按司に仕え、本部大主を名乗り、怕尼芝按司の重臣となった。その本部大主こそ、そなたのお父上であった。そなたはお父上亡き後、怕尼芝按司に仕え、今日に至っている」

本部太原は、膝の上で拳を握りしめて、苦々しげに内間を睨んでいる。

「いかがですかな。それがしの申したこと、間違いがありますかな」

「恰《あたか》も、わが祖の本部大主を悪逆《あくぎゃく》の徒《と》のように申すが、討たねばならぬ理由があったことだ。時の今帰仁世の主こそ領民を顧みず、賢臣《けんしん》を退け、佞臣《ねいしん》を挙げて、暴虐だったのだ。わが祖も、諫言《かんげん》したゆえに退けられたのだ。義《ぎ》によって世の主を討ったのだ」

「そうかも知れません。同じように、怕尼芝按司の決起にも、それなりの理由がありましたでしょう」

と、内間は攀安知を見上げた。

「無論のことだ」

攀安知は、憮然《ぶぜん》とした表情で言った。

内間は頷いて、

「ま、討つ討たれるは世の移ろいの中で避け得ぬこと。我が中山もまた血塗られた歩みの上に今日に至った。討つ方、討たれる方、どちらに義があったのかも、仇討ちが繰り返されていく中で、評価が反転していく。そのようなものでしょうが、実は、こたびの中山軍の最先頭に、読谷山按司護佐丸が立っております。読谷山按司は、怕尼芝按司に滅ぼされた今帰仁按司の一族の裔《すえ》にて、祖の仇討ちとして、今帰仁グスクを奪還すると意気込んでおります」

「何、読谷山の護佐丸だと？」

太原が目を剥いた。

内間は頷いて、

「護佐丸按司の話によれば、護佐丸按司も北に連なる島々を経て、大和とも交易し、自ら船に乗って行くこともあるという。その折、今帰仁船や、永良部、徳之島の者たちと、あわや、ということもあったと聞いております」

「いかにも、永良部、徳之島はかねてよりわが北山の領。中山も、そして読谷山護佐丸も、それを一顧《いっこ》だにしない振る舞いがあったと聞いておる」

太原は吐き捨てるように言った。

内間はかぶりを振った。

「それも、今帰仁の言い分。わが中山においては、むろん読谷山も含めてのことだが、日本との交易は九州へとつながっていく北の島々を経て行かざるを得ない。日本との交易は、明国への進貢品調達に欠かせぬこと。また中山は朝鮮にも通じているが、それも北の島々を経て行かざるを得ない。今帰仁の領というのは、与論島、永良部島、徳之島であって、北の島々へつながる海まで、領域というのは無理がありましょう。四方海に囲まれた我ら海邦琉球では、海はすべてに開かれており、誰もが自由に行き来できねばならぬ。今帰仁ひとりの海ではありません。今帰仁船も明国進貢のためには、那覇の港を使わねばならぬではありませんか」

「…………」

理路整然たる内間の言いぶりである。

この男、相当な切れ者で、いやそれゆえにこそ、巴志は彼を使者に立てたのであろうが、何やら言い負かされている気持で、太原は苛立《いらだ》ってきた。

何であれ、中山は大軍を催して、いくさを仕掛けてきたのだ。

和睦ではなく、降伏を迫っているのは、有無《うむ》を言わさず、この今帰仁グスクを乗っ取ろうということに他ならぬ。

その武力を誇示した傲慢《ごうまん》が、我慢ならぬ。

憮然たる太原と攀安知を、内間は勝ち誇ったように見遣って、言った。

「さて、長々と話が逸《そ》れてしまいましたが、我が中山大軍の船々は、とうに羽地寒汀那を発進しましたので、そろそろ西の海に姿を現わすと思います。いかがなさいますか」

「無条件に降伏せよとか」

太原が投げ捨てるように言った。

「さよう。今なら、まだいくさは止められますが……」

「そなたらが、わが領民の血に思いを掛けているなら、武器なき無力な領民を無闇《むやみ》に手に掛けるような無慈悲なことはすまいと信じよう。ゆえに、我らは懸念なく、このグスクにて、中山の大軍を迎え撃ちましょう」

太原は攀安知を振り返りながら、何でもないことのように言った。

攀安知も深く頷いた。

「ほう、降伏しないと？」

内間は呆れたように訊き返した。

「無論である。大軍に恐れをなして、一戦もなさず、おめおめと降伏したとなれば、我ら今帰仁者の意気地《いくじ》のなさを世間から、そして後の世からも笑われてしまいましょう。末代《まつだい》までの恥。及ばずながら、傲《おご》り高ぶる中山巴志の軍に一矢《いっし》を報い、見事に今帰仁の意地を、天下に、そして後世に示しましょう。それがしも、武本部《ぶもとぶ》などと領下の人々から言われている、今帰仁グスク第一の守り人なれば、戦わずしておめおめ手を挙げてしまえば、領下の人々から笑われましょう」

「なるほど。さすがに聞こえたる武本部殿。我が大将巴志様も、本部太原、おめおめとは降《くだ》るまいと見越しておいでではありましたが……」

「かく言いながら降伏せよと使者を送ったのは、我をいたぶるためか。帰って巴志に申せ。血を見ずに済ましたいのであれば、軍を退《ひ》けとな。血のことは我が今帰仁を気遣って言っているのであろうが、中山の兵たちの血のことを心配せよ、とな。そちらは坂を這い上る、我は見下ろし、地の利は我にあり、とな。使者の趣、とくと承った、もはや立ち帰られよ」

太原は、すっくと立ちあがった。

内間はとりなすすべもなく、覆いかぶさるような大柄の太原を見上げ、それから攀安知へ頭を下げて、辞去すべく立ち上がり、

「お覚悟のほど、しかと承りました。では、これにて――」

と、太原に頭を下げて、退去した。

入ってくる時は、城内の物々しい雰囲気に呑まれて、周囲はあまり見なかったが、帰

りは、間もなく我が軍が攻め入るグスクだと、その備えの様を少しでも探索しておこうと、すばやく視線を巡らしたが、案内の兵にせっつかれて、ろくに見遣ることも出来ず、すぐ門外へ出された。

しかし、城内には兵たちが群がって、防戦に備える慌ただしい雰囲気は見た。

（籠城だな……）

内間はそう読んだ。

石弾投擲器が正門側の左右に設けられていたが、立木を伐《き》ってきて隠してあり、内間の目には触れなかった。素早くそれを使者の目から隠すようにしたのは、そこで指揮を執っていた者の機転であろう。太原の下には、そうした機転のきく知恵者や、武勇の者たちがいたのである。

この石弾放擲器は、中山の北山攻めの噂で急遽拵《こしら》えた。太原の工夫によるものであった。

中山は圧倒的な大軍を催して来るであろう。結局は籠城しての防戦となり、弓矢の応酬となろうが、多勢に無勢、結局は破られてしまうであろう。

だが……おめおめと、破られてなろうか。

弓矢より、強力な武器――明国では、琉球からの進貢品の硫黄を原料にした火薬というものが造られ、合戦では、その火薬弾を発射する火砲が造られて、相当な威力を発揮しているそうだが、そういう火砲はまだ琉球には伝わっていない。

ばね仕掛けの石弾《せきだん》というものもあるらしい。

ばね仕掛け……石弾……と思い巡らして、青竹を使った放擲器を思い付いたのである。

志慶真川の岸辺に竹林があり、そこから長い青竹を伐ってきて造ったのだ。

青竹を二本立て、その先端に網《あみ》を取り付けた太綱《ふとづな》を渡し、網には石塊《せっかい》を入れて、その網綱を青竹がグーッと撓《しな》り切るまで後ろへ引いて、ハッシ、と放つ。網から放擲《ほうてき》された拳大《こぶしだい》の石塊（石弾）は弧を描いて空中を、かなり遠距離まで飛び、炸裂《さくれつ》する。

網には拳大の石弾を数個に小石などを入れて発射する。石弾は空中で分かれて、四方に飛散する。敵が密集隊形で来るなら、一度に数人を撃つことが出来よう。

それに、石弾は無限にある。

「百曲がり」の城壁は、すべて硬い石を板状に割り砕いて、野面《のづら》積みに積み上げてある。これは灰色の古生代石灰岩（琉球石灰岩）で、今帰仁半島の基層はこれで成っている。

この城壁の板石を剥がして割り砕き、大小の石塊にすれば、石弾として使えるのだ。

この石弾放擲器とともに、城壁の上には、石弩《せきど》（石弓《いしゆみ》）も拵えられている。大石を載せた板を綱で結わえて置き、敵が城壁を攀《よ》じ登ってくると、機を見て、綱を断ち切り、石を落下させて兵を潰すという、ヤマトの合戦などでは古くから使われているという方法も取り入れていた。

来るなら来い。その頭に、石の雨を降らせてやる！

――と、今帰仁グスクは本部太原のもとで、それなりに防備を固めていたのである。

8

ブオーッ！

ブオーッ！

と、法螺貝《ほらがい》が、今帰仁の空に鈍くとどろき渡った。

戦いは太陽が中天《ちゅうてん》から傾いた頃、法螺貝の音を合図に、大手、搦手、同時に幕を切って落とした。

攻略に当たっては、巴志は兵船を進めさせながら、軍使を今帰仁グスクに送った。弁舌に巧みな知恵者、内間大親が、その軍使に立った。

和睦――。

しかし、それは今帰仁グスクが降伏するなら、攻撃を中止するという、勝者としての虫のいい申し入れであった。

今帰仁グスクにとっては、無条件降伏ということになる。

巴志は、見え透いた一方的な〝条件〟を突き付けることで、今帰仁の覚悟の程を試したのであった。押し寄せる中山の大軍、そして名護按司・羽地按司が寝返って、東の防衛線が取り払われ、裸同然に孤立した状態で、震え上がるか、それでもなお意地を張って戦おうとするか……。

〝武本部〟の名をとどろかせている摂政の本部太原は、豪勇というだけでなく、摂政を務めるだけに知謀《ちぼう》に長《た》けていると聞いている。

また攀安知王自身が、若いながらも才徳があり、武芸にも秀でているという。

その二人が、勧告を受け入れるか、逆に迎え撃つ姿勢を示すか。

刻限を定めて、素直に受け入れるなら、グスクの高所でノロシを上げ、ノロシが風に吹き流されるのも考慮して、城壁の正門・裏門に高々と白旗を掲げる――という段取りであった。

だが、示し合わせていた刻限――太陽が中天を回っても、今帰仁グスクからノロシは上がらなかった。説得は不調に終わったのだ。

太陽が中天に差し掛かった頃には、親泊の港に、巴志率いる本隊の大小船十数隻が到着した。港には、今帰仁グスクを降りてきた軍使の内間大親が待っていた。

報告を聞いた巴志は、

「やはりな。さすが本部太原だ。攀安知も誇り高いと聞いていたが、噂通りだな」

ニヤリと笑って、傍らに立った護佐丸、羽地按司らに、

「決戦だ。行くぞ！」

と、叫んだ。

「おお！」

と、護佐丸、羽地按司らが、拳を振り上げた。

「進撃の陣貝《じんがい》を吹け！」

巴志は命じた。

ブオーッ！

ブオーッ！

法螺貝が青空に響き渡った。

白地に赤く左三ツ巴を染め抜いた大幟旗《おおのぼりばた》を先頭に、色とりどりの幟旗を押し立てて、
二千の兵は、グスクへの緩やかな坂道を、登っていった。

鍬形の兜に赤糸縅の大鎧を纏った騎馬の巴志を先頭に、護佐丸、羽地按司、中城按司、

国頭按司らも凛々しい甲冑姿。将たちも騎馬である。馬も船で運んできたのである。各隊長は腹巻鎧に星兜や額鉄《ひたいがね》、兵たちは小具足で額鉄や鉢巻、籠手《こて》、脛当《すねあて》などを着している。幟旗を掲げ、弓矢を負い、槍や長刀を担いだ兵たちは、騎馬の将とともに、整然と、足並みを揃えて進軍していった。

一方、呉我、湧川から上陸、山道を今帰仁グスクへ登った越来按司・北谷按司・名護按司率いる搦手軍一千は、すでに志慶真村に達して、志慶真門を置いて緩やかにうねる白い城壁を見上げ、弓矢の射程距離を目測した位置に、陣を張り、矢防ぎの板楯十数枚を陣頭に巡らして、大手からの法螺貝の合図を待っていた。搦手軍も、左三ツ巴の中山王旗を先頭に、色とりどりの幟旗をはためかせていた。

攻撃は同時に開始するのである。

こちらは、大手軍――。

今帰仁グスクの北面は、そう高くない石墻《せきしょう》が巡らしてあるが、それは外墻で、人影はなく、無防備に打ち捨てられていた。内城で決戦しようということであろう。

大手軍はその外墻を突破した。馬場のような広場になって、その向こうに、大鷲《おおわし》が羽を広げたような内郭城壁が立ちはだかっている。右手に正門（平郎門）が見える。見上げる城壁の上には、ずらりと板楯が立ち並んでいた。

弓矢の戦いになる。

大手軍は、広場に板楯を立て並べた。

態勢が整い、巴志は戦端《せんたん》を開く法螺貝を吹かせた。

ブオーッ！

それは、搦手軍にも聴こえた。

越来按司も、法螺貝を吹かせて、呼応した。

巴志は大きく頷いて、

「よし。搦手《からめて》も攻撃の手筈を整えたようだ。挟み撃ちだ。いざ、名乗りを挙げるぞ。沢《たく》
岻《し》——」

と、側に付いていた沢岻大親を振り返った。

「はッ！」

沢岻大親が一歩、馬を進めた。沢岻は腹巻に星兜である。沢岻は巴志に代わって、いくさの口上を述べるのである。声が大きかった。

「護佐丸も付いて参《まい》れ！」

と、巴志は振り返った。

「はいッ！」

護佐丸も、巴志の傍らへ、馬を進めた。

沢岻が手を上げると、左三ツ巴の大幟旗を担いだ兵、そして板楯を持った兵三人が前に出、また手楯を持った兵らが出てきて、馬上の巴志、護佐丸、沢岻に手渡した。

「よし、参ろう」

と、巴志が手綱を引き締め、板楯を持った兵を先に立てて、巴志、沢岻、護佐丸の三騎は、正門前の広場へ踏み出していった。

広場中央で三騎は止まった。もう十分に、グスクからの射程距離である。しかし、矢は飛んで来なかった。グスクでも三騎がいくさの口上を述べに来た、と了解しているのであろう。戦端を開くに当たっての名乗りは合戦の習《なら》いである。ただ、これを破って、卑怯《ひきょう》に射掛けてくることがあるので、手楯、板楯を念のために翳《かざ》しているのだ。

沢岻大親は騎馬のまま、手楯を胸に進み出た。板楯を翳した徒歩の兵がその前に立った。沢岻は平郎門の数間手前で止まった。

平郎門から緩やかにうねって続く城壁の上には、板楯がズラリと並んで、兵の影がちらちら動いていたが、矢は飛んで来なかった。

沢岻は板楯の立て掛けられた平郎門の上を見上げて叫んだ。

「やあやあ、我は中山王の名代《みょうだい》沢岻なり。世子《せいし》巴志様に代わり、いくさの口上を申し上げる。攀安知王、摂政本部太原殿、出《で》ませい！」

朗々たる大音声《だいおんじょう》であった。

城壁上の板楯が動いて、甲冑姿の人影が現われた。

「我は攀安知なり。襲い来たるは大義《たいぎ》なき無体攻《むたいぜ》めというべし。よって、口上《こうじょう》など聞くに及ばぬ。これぞ世を乱す無体《むたい》、無道《むどう》のいくさなるを悟り、引き揚げるべし」

攀安知の声は、透き通って、こちらも朗々たる響きであった。

沢岻はカラカラと笑って、

「我らを無体無道《むたいむどう》と罵《ののし》るならば、そもこの北山の成り立ちや如何《いか》に。先の今帰仁按司は、おぬしの祖父怕尼芝按司が叛逆《はんぎゃく》して按司の座を奪い取って成り立ちしものぞ。先の今帰仁按司が一族は無慈悲に追い殺され、辛うじて落ち延びた一族の怨みは今に残り――」

沢岻は広場中央に巴志と並び立った護佐丸を手で示して、

「ここに、読谷山按司護佐丸あり。怕尼芝按司に殺されし先《せん》今帰仁按司が一族の裔《すえ》なり。今こそ、父祖《ふそ》の無念を晴らさんと駆け付けたるなり」

護佐丸が一歩、馬を進め、胸を張った。

「されど、これ今や私怨《しえん》のうち。我が中山の挙兵は実に、明国皇帝の意を受けてのことなり」

「…………」

「琉球は国土狭小《きょうしょう》なるに拘《かか》わらず分かれて三となり、啀《いが》み合《あ》い、国乱れ、民は塗炭《とたん》に苦しめり。明国皇帝これを憂い、争いを止め、民を養うべしと、再三にわたり勧告せり。しかるにこの北山、我ら中山のヤマト交易を妨害し、いたずらに争いを惹き起こさんとするは、これぞ無体無道というべし。また、こたびはいたずらな殺戮《さつりく》を止めるべく、先に軍使を派遣して、縷々《るる》、道理を申ししに、これを一顧だにせず、あくまで我らに背かんとするは、琉球の平安を顧みぬ、北山の依怙地《いこじ》というべし。これ叛逆というべし。これを放任するは、琉球を乱す基《もとい》なり。将来の禍根《かこん》というべし。かかる無体を断ち、琉球の平安を図るべく三山合一に向けた兵を挙《あ》ぐるは、これ大義なり」

いくさの口上は、これを敵味方双方に強く印象づけ、それが伝承として後世に語り継がれていくことにもなる。そのことも踏まえて、中山としてはこの北山討ちを「大義」として押し出さねばならぬから、屁理屈《へりくつ》も何のその、北山の非をあることないことあげつらって、沢岻は巴志から伝授された口上の趣を、さらに上塗りして捲《ま》くし立てていったことである。

怒りの表情で睨んでいた攀安知は、

「よく回る舌よの」

と、一蹴し、

「軍使にも申し上げたが、喉元に刃を突き付けて、さあ降伏せよとは、これこそ暴虐と言うべし。驕り高ぶったその口振りにひれ伏すなど、今帰仁の意地が許さぬ。攻めるなら攻めよ。我らも死を賭《と》して立ち向かおうぞ。今帰仁の意地、男の意地をかけてな」

言い捨てて、攀安知は板楯の陰に消えた。

沢岻は舌打ちして、馬首《ばしゅ》を返し、巴志と護佐丸のもとへ行き、三騎は兵団へ戻った。

兵団から腹巻鎧の騎馬兵が大弓を携えて広場へ出て行き、平郎門までの射程を見定めて、馬を止めた。そして、馬上でおもむろに大弓に大矢を番え、グーッと弓を引き絞って、
ヒョーー！

と、放った。

矢は凄まじい風音《ふうおん》を発して飛び、平郎門上の板楯に突き刺さった。

鏑矢《かぶらや》であった。

鏑矢は、合戦の幕を切って落とす合図である。

城壁上から、矢が放たれた。鏑矢を射た騎馬兵は広場を疾駆《しっく》して、兵団の中へ駆け込み、兵団は一斉に、
ワーッ！

と、鯨波《げいは》を挙げて、板楯隊を先頭に、広場へ雪崩《なだ》れ込んでいった。

ブオーッ！

ブオーッ！

と、法螺貝の音がとどろいた。

東の志慶真門方向からも、攻め込む鬨の声と法螺貝の音が響いてきた。――

9

正門前の広場に陣取った中山軍本隊二千は、矢防ぎの板楯をズラリと前面に立てて、広場の中央へと進軍していった。まるで、長々と巡らした板塀が、地を這って、ズイズイと進んで来るようであった。

板楯の後ろには弓隊が二列、その後ろに鎗や長刀などを翳《かざ》した、腹巻や小具足の兵が続き、そして、その後ろには二段目の板楯隊――。

つまり、板楯の列は五、六人間隔で、二段、三段……と幾段もの構えであった。

先頭の板楯隊が城壁までの射程位置に進むや、城壁から一斉に、矢の雨が降り注いだ。

広場の板楯が上向きにその矢雨を受け止めた。

ブスッ、ブスッ！　と、矢は板楯に突き刺さり、また跳ね返された。

そして、すかさず、広場の弓矢隊が板楯の背後から出て、城壁へ射掛ける。

城壁の弓隊は板楯の後ろに隠れる。その板楯に、ブスッ、ブスッと、矢が突き刺し、あるいは跳ね返される。

こうした攻防がしばらく続いた。いくら板楯に守られているといっても、城壁から見下ろしに射掛けられる矢は、板楯背後の兵に降ったものもあり、死んだのか負傷したのか、数人の兵に運ばれて、戦線を抜けていく者もあった。

しかし、板楯は少しずつ、前進してきて、いつしか、先頭が城壁にかなり接近し、城壁上から見下ろしに射掛けようと、板楯から身を出す城壁兵を、下から射掛け、何人かを落下させた。

ブオーッ、ブオーッ！

と、法螺貝がなり、喚声が背後から沸き上がる。

その鬨《とき》の声は、進撃する前線の士気を一層煽り立てた。

そうした法螺貝や喚声は、搦手の方からも聞こえてきて、今帰仁グスクは、鯨波に包まれた。グスク兵たちはさぞや、戦意を喪失しているであろう。

鬨の声を挙げて威圧するのも重要な戦いのうちなのだ。しかも、それは今や、グスクの表と裏で、グスクを覆い、呑み込まんばかりの勢いであった。

正門へ続く城壁下まで迫り、間断なく矢を射掛ける攻め手の勢いに、城壁上のグスク兵らは板楯から首を出すことが出来ず、城壁内から闇雲に射掛けるが、それはヒョロヒョロ矢となり、攻め手は余裕をもって除《よ》けたり、板楯で受け止めて、さして大きな損害は与えなかった。

広場には、後方の兵たちも進み出て、法螺貝を吹きならし、鬨の声を挙げた。攻め手の勢いは、表から、そして裏から、怒濤の如く、山上に孤立したグスクへ押し寄せていく。

(今日中には陥《お》とせよう)

と、巴志は馬上で、ほくそ笑んでいた。

しかし、その余裕はまもなく、吹き飛ばされた。


「何だ？　何だ？」

城壁を越えて、ビュン、ビュン……と飛来してきたのは、拳大もある石塊《せっかい》であった。それが弧を描いて、密集した兵団の頭上へ落下したのだ。ぎっしり詰め合っていた兵らは、避けようもなく、何人かが直撃され、ギャーッ、ギャーッと、数か所で悲鳴が上がった。

石塊の雨は、次々に襲ってきた。

「アワワ……」

と、兵たちは反り返って見上げ、隣の兵を突き飛ばすように逃げようと泳いだが、兵たちはぎゅう詰めになっているから、動きが取れない。石塊は一度に数個、散らばって落下した。しかも、それは城壁右手から、そして左手から、矢継ぎ早《ばや》だった。

兵たちは折り重なりながら、逃げ惑った。その上へ勢いのついた石塊は、打ちのめすように落下したのだ。

あちこちで悲鳴が起こり、怒号が飛んで、兵列は乱れた。

そこへ、城壁上のグスク兵たちが、板楯から身を出して、一斉に矢を射掛けてきたのだ。

広場は撃ち込まれて逃げ惑い、態勢が崩れてしまっているから、射返すすべもない。

何人かが矢を受けて倒れた。

「退《ひ》けーッ、退けーッ！」

板楯を立てた前線を率いていた将が叫んだ。

兵たちは押し合いながら、退却した。

城壁際まで進んでいた板楯隊も退いた。

兵団の中ほどで観戦していた巴志にも、次々に弧を描いて飛来する白い塊は見えた。

それが兵の頭上に降り、兵たちが悲鳴を上げて逃げ散った。

「何だ?」

巴志は目を疑った。

そこへ、こんどは矢雨であった。

巴志は馬首を返し、手楯をかざし、兵たちの間を割って、前線へ馬を進めた。

前線の将が駆け寄ってきた。

「何だ、どうしたのだ?」

「石です、石が降ってきました」

すばやく拾い採ってきた石塊を見せた。拳大のそれが二個、一個には赤い物が付着していた。直撃を受けた兵の血であろう。

兵たちが逃げ去った広場には、そんな石塊が散乱していた。

広場から兵たちが後退したので、石塊の雨も止まっていた。

巴志は将から石塊を受け取って眺めた。城壁に積んだ石を叩き割ったものであろう。

「怪我人は何人出た?」

「よく調べていませんが、石では七、八人かと。深手《ふかで》もいるようです。頭を直撃です。しかし、石の後は矢です。矢で数人が犠牲になったようです」

「ふむ……」

巴志は、退いた兵たちが、後方で騒いでいるのを振り返った。死んだ兵や負傷兵を囲んで、手当などで騒いでいるのだ。

そこへ、護佐丸と羽地按司も飛んできた。

巴志は石塊を護佐丸に渡した。護佐丸の手に載《の》ったそれを、羽地按司も覗き込んだ。

「石弾《せきだん》というやつだ」

と、巴志は言った。「唐やヤマトのいくさでは昔から使われていると聞いた。仕掛けは違うだろうが、本部太原の工夫であろうな」

巴志は、そこに太原が哄笑《こうしょう》して立ちはだかっているのを見るように、城壁へ視線を投げた。

「そんな物を、太原が工夫しているなど、見たことも、聞いたこともありませんが……」

羽地按司が首を傾げて巴志を見上げた。

「中山の北山討伐の噂で、急遽考えついたのであろう。恐らく、青竹か何かをばね仕掛けにして、投擲《とうてき》するやつであろう。新兵器というわけだ」

「確か、志慶真川の岸辺には、竹林もあると聞いています」

「うむ……」

巴志は何か考え込んだが、

「ともかく、しばらく、攻めるのは中止しよう。しかし、前線が退却したままでは、兵たちが疑心暗鬼《ぎしんあんき》になろう。兵たちにはわしが、敵の裏をかく方法を考えていると言って、不安を広がらせないようにせよ。間もなく陽も沈む。今宵は夜食を取って、ゆっくり休養させよ。後で、作戦会議をやるので、夜食の後に、按司たちを集めよ」

「はッ」

と、護佐丸も羽地も自陣へ戻っていった。

志慶真門の搦手軍にも、同じように石弾攻撃があった。

越来按司からの使者が馬で駆け付けてきて、これを報告した。搦手では、石弾と弓矢を組み合わせた志慶真門内からの巧みな攻撃で、進撃を阻まれ、十数人が死傷した。今は攻め手を欠いて、退いたまま、手を拱《こまね》いているという。

「分かった。夜に入って、越来按司、名護按司にはこちらへ参るよう伝えよ」

巴志は、使者に言い付けて、改めて、鷲が悠然と羽を広げたような、今帰仁グスクの緩やかに湾曲した城壁を見上げ、

（太原、なかなかやるな）

心で呟いたが、

（しかし、今に見ておれ）

と、口元には不敵《ふてき》な笑みが浮かんだ。

炊き出しが始まったようで、炊煙が各兵団で上がり、兵たちの叫び声や、呼び合う声などが聞こえた。何しろ二千の兵であるから、小声も重なると騒々しい。

その夜、空は晴れ渡り、十三夜の月が、煌々《こうこう》と輝いていた。

その月光の下で、巴志を囲んで、按司たちによる軍略会議が開かれた。

その談合を、満月に近い月が、黙って見下ろしていた。

巴志はその月を見上げた。

（あの時も、こんな月が見下ろしていたな……）

ふと思い出したのは、島添大里グスクを攻めるため、場天に佐敷の兵が集結した時のことだった。

（あれから、もう十年になるか……）

佐敷の坂を上って行った時から、立ち止まらず、とうとうここまで来た――と、感慨を覚えたが、それはすぐ新たな闘志へと切り替わった。

（ここまで来たのだ。あと一息ではないか。月よ、見守り給え。まもなく、新しい琉球を、お見せしましょうぞ）

と、気持を引き締め、仰向いて瞑目し、両手を下手《したて》に八の字に広げて月光を全身に浴び、そして月から注がれる力を吸い込むように、大きく息を吸い込んだ。――

10

夜が明けて、十四日――。

正門前広場の横の岩場は、灌木林《かんぼくりん》になっていたが、その灌木の中に、兵らが慌ただしく動き回っていた。

灌木が二本、二間ほどの間を置いて、幹の中ほどからばっさり伐り落とされ、その幹に、それぞれ青竹が括りつけられていた。青竹は二本ずつ繋ぎ束ねられ、長くなっている。その先に、太い棕櫚縄《しゅろなわ》が張り渡され、縄の中央にはやはり棕櫚縄で編んだ網が括りつけられていた。網の中には、拳大の石塊が十数個容《い》れられていた。地面には石魂の山が築かれていた。装置の前は、灌木が目隠しになっていた。

目には目を――とばかりに、巴志は石弾放擲器を造ったのである。大手側だけでなく、搦手側にも取り付けた。

夜中、月光の中を、羽地按司が差し向けた一隊が、志慶真川沿いの竹林から青竹を伐ってきて、拵《こしら》えたのである。

志慶真川に竹林があると、羽地按司から聞いていた護佐丸が、

「こちらでも、造れるのではありませんか」

と、提案したのであった。

「真似事《まねごと》だがな」

巴志は笑ったが、

「しかし、面白いかも知れぬな。攀安知王と本部太原は、新兵器のように得意になっていようが、何、そんな物を造るのは造作《ぞうさ》もないことだと、笑い返す意味でも、造ってみても面白いかな」

と、頷いた。

「ただし、造るからには、今帰仁のそれより飛距離が長く、城内に届くように造れ。攀安知や本部太原は、さぞや吃驚《びっく》りすることだろう。本部太原、武略をひけらかしていようが、その鼻を明かし、その強気《つよき》を挫《くじ》くのだ」

こうして、青竹は二本ずつ繋ぎ束ねにして長くし、太い棕櫚縄を渡し、兵数人で引く投擲器が造られたのであった。

むろん、それでグスクを陥《お》とすことは出来ぬ。グスク内では石弾の着点を見定めれば、避ければいいだけのことだ。しかし、かなりの牽制《けんせい》にはなろう。

その投擲器から放たれた石弾は、弓矢を凌ぐ飛距離で、今帰仁の城内へ撃ち込まれた。グスクでは、魂消《たまげ》ているに違いなかった。

グスク側の投擲が止み、弓矢も止まった。

しかし、挑発のために、ワーワーと兵を進ませると、グスク側の石弾と矢が飛来した。兵を引き、石弾を城内に撃ち込む。城内が鎮まり返った間隙《かんげき》に、またワーッと広場へ殺到していくと、グスク側も立ち直り、城壁の上から弓矢で応酬《おうしゅう》し、石弾も飛ばしてきた。広場の中山軍は算を乱して、逃げ惑う。

同様に搦手でも石弾と矢の応酬が繰り広げられた。

そんな攻防が繰り返されて、戦いは膠着《こうちゃく》状態となった。

こんな状態では、埒《らち》があかぬ。

やがて兵たちは疲れ、士気も衰えかねない。

といって、それ以上の攻め口がない。

三千人の大軍ならば、易々と、降伏させることができるだろう、軍使を遣って脅せば、怯み上がり、降伏の誘いに乗るだろう、また降伏を拒み、抵抗しようとも何ほどのことはあるまい、多勢に無勢だ、城壁を乗り越えて踏み込むのだ——と、勝利を疑わず、むしろ侮って押し寄せてきたことが、傲慢《ごうまん》であったと、今さらながらに思い知らされた。

このような思い上がりこそが、倨傲《きょごう》を生み、暴君《ぼうくん》となるのだ。

巴志は、武寧王のことを思い出した。

傲慢な暴君を討った自分が、才を誇って、いつしかその轍《てつ》を踏みつつあったのか……

と、忸怩《じくじ》たるものを覚えて、苦笑した。

「何か？」

と、護佐丸が首を傾《かし》げた。

「いや、何でもない」

「はあ……」

と、護佐丸は腑《ふ》に落ちぬ顔付きであった。

巴志は己がいつしか、心驕って、杜撰《ずさん》になっていたのを思い知って、苦笑したのである。

相手を侮って、内応者《ないおうしゃ》を作らなかったことを後悔した。

北山を閉ざされた山の中、その山城で攀安知や本部太原がいかに名を馳せていようとも、所詮は辺陬《へんすう》の者たちに過ぎぬと、上から見下《みくだ》し、人の意地や、その地にはその地の誇りがあり、そういうものの強さというものを顧みなかった己の自信過剰を悟ったのであった。

そして、〝山中のグスク〟と侮っていたその今帰仁グスクが、むしろその山を防壁とした鉄壁《てっぺき》のグスクであったことを、思い知ったのであった。

（名護按司か羽地按司は、内応者にすべきだったか）

今帰仁守り口の彼らを引き剝《は》がせば、今帰仁は裸になって孤立し、一も二もなく、手を上げるだろうと、名護、羽地を、あからさまに寝返らせたのは失敗だったかも知れぬと、戦略の天才は、才に溺れていたのを、そのことでも悟ったのである。

しかし、このたびは、〝天下軍〟として、進撃してきた以上、――まさに、三山を合一し、「琉球」としての未来を、民人のために大きく開くためにも、「抵抗する北山」を平定して帰還せねばならぬ。北山討伐の実を示さねば、南山を組み込むことも出来ぬだろう。北山を討伐することで、南山も、中山の力を改めて思い知るだろう。

南山を従えるためにも、この北山討伐は、やり遂げねばならぬ……とは思うものの、この今帰仁の鉄壁をどう崩すか……。

（潜入《せんにゅう》――）

と、閃《ひらめ》く。

武術に長け、忍びの才ある者を選び出し、夜陰に紛れてグスクに忍び込ませ、攀安知と本部太原を闇《やみ》討《う》ちにできないか。

羽地按司に聞いたところでは、グスクの裏手は志慶真川に面し、削ぎ落としたような断崖絶壁になっていて、そこは防備の兵もいないが、削ぎ落としたような絶壁を攀《よ》じ登るのは、不可能だという。

しかし、どこからか、潜入できるのではないか。夜陰に紛れて潜入する特技を持つ者が、この三千人の中にはいよう。引き連れてきた佐敷、大里の兵に、心当たりもある。越来、中城、名護、羽地、読谷山……彼らに聞けば、必ずや、優れた特技の者たちを探し出すことができよう。

（やるか――）

と、考えが傾きかけて、今帰仁グスクの緩やかに湾曲して横たわる城壁を見渡した時、

（無理か……）

と、潜入作戦を断念した。

十四日の月はもはや満月であり、真昼のように地上を照らしている。〝表〟からの潜入は無理に思える。

無防備だという志慶真川の断崖絶壁はどうか。無防備というのは、あくまで羽地按司の見方である。自分なら、そんな不可能と思われるところを何とかするであろう。断崖絶壁を攀じ登る特技を持つ者もいようが、本部太原は、それも見越して、守りに万全を期しているはずだ。侵入不可能と思われる場所だからとて、無人にはしていまい。

ともかく、この煌々たる満月の下では、〝忍び〟を潜入させるのも、ほとんど無理だ。

何より、潜入しての〝闇討ち〟という姑息な策を巡らすこと自体が、いくさの大道《だいどう》に外れた卑怯の策というものではないか。こちらは琉球の天下とも言うべき中山の王軍である。姑息の策は、天下に恥を晒すにひとしく、誇りを地に墜《お》とすものだ。

では——。

そう、正攻法でやるしかなかろう！

正面から、堂々と攻めるのだ。

三千の大軍が、怒濤の如く突撃すれば、こんなグスク一つ、圧《お》し潰すのは造作もないことだ。グスクに立て籠《こも》っている兵は、多くて数百人だろう、物の数ではないのだ。

むろん、こちらも多くの犠牲が出よう。しかし、犠牲を伴わぬいくさはないのだ。

その覚悟の上に進撃していくのが、いくさというものなのだ。犠牲になった兵、その遺族には気の毒だが、いくさなのだと割り切って貰おう。償《つぐな》いはやる。

よし、明日は総攻撃をかけよう。多少の犠牲を覚悟して——。

巴志は三度、按司たちを集め、総攻撃を発令し、その段取りを申し渡した。

総攻撃は夜間に行なう。あすは十五夜満月、昼間のように明るい。このところ、晴れ渡って雲もない。いや多少の雲が出ても、明るさは変わらない。

ただ、昼間のような明るさとはいっても、月光は平面的で立体感がない。昼間の明るさとは違う。血しぶく悲惨な光景の生々しさも消せる。それだけ、兵たちは恐怖心を抱くことなく、進撃していくことが出来る。

「明日は、日中はきょうのように、攻めては引き、ひいては攻めるを繰り返し、だらだらと続けていけばいい。今帰仁グスクでは、我らが攻めあぐねていると見るだろう」

つまり、昼間は攻めあぐねていると、見せ掛けるのである。油断させるわけだ。

「今帰仁が籠城を続けるなら、そのまま攻めずに何日も包囲しておれば、やがてグスクは糧食が尽き、黙っていても投降してこようが、どれくらいの糧食が蓄えられているのかが問題だな。羽地按司と名護按司によれば、城内には井戸もいくつかあって、水は尽きないだろうが、水だけでは飢えをしのぐことはできない。つまり、兵糧攻めで勝つことは勝てるだろう。しかし——」

と、巴志はかぶりを振り、

「彼らが糧食尽きて投降してくるのを、荏苒《じんぜん》と待っているわけにはいかない。三千もの大軍を動かしてきて、攻めきれずに、自然投降を待っているようでは、不甲斐《ふがい》ないことだ。世に笑われ、後世にも恥を残すものであり、果敢に進撃して、力で捻じ伏せてこそ、王軍の名誉は得られる」

将たちは、粛然《しゅくぜん》として、大きく頷き落とす。

「ただ、月光下の戦いは、混戦になれば、敵味方の見分けがつかなくなる。同士討ちも起きかねない。色も消えるので、目印が付けられない。兵たちには全員、兜、鉢巻等、頭や身体《からだ》に草や木の枝葉を巻き付けさせせよ」

巴志は細かいところまで、抜かりがない。

大胆にして、繊細――。

護佐丸は、巴志の臨機応変な戦略戦術の切り替えに、舌を巻いた。

11

（攻めあぐねているな）

志慶真門の守りを将兵にまかせて、表門へ回り、広場の向こうで、吹き溜《だ》まったように広がっている中山軍を、城壁の上から眺め渡した本部太原は、籠城が、取り敢えず成功しているなと、ほくそ笑んだ。

吹き溜まっている兵たちの前を、甲冑の将三、四人が、騎馬で行き来している。遠くて分からないが、あの中に総大将の巴志もいるのであろう。

寝返った羽地按司と国頭按司もいるに違いない。同じく寝返った名護按司は搦手の志慶真門攻めの組に加わっているのを遠くに見た。ひと声、「裏切り者よ！」と投げ付けたかったが、罵られるのを避けるためか、搦手勢のしんがりに下がっているようだ。

しかし、やはりひと声投げ付けずにはおれず、先頭に出てきて、

「それがしは、搦手の総大将、越来按司である」

と、名乗りを挙げた甲冑の騎馬武者に、

「我は今帰仁世の主が摂政、本部太原。いざ、攻めて来よ。受けて立とうぞ」

と返し、

「後ろにこそこそ隠れているのは、裏切りの名護ではないか。後ろめたくて、前には出て来れぬか。寝返りの汚名《おめい》は、北山で長く語り継がれような」

と、皮肉を飛ばした。

太原の太声は、たぶん名護に届いたはずだが、名護はそっぽを向いて、聞こえぬ風を装っていた。

同じように、表勢に加わっているであろう羽地按司にも罵声を浴びせたいが、遠過ぎた。

ま、後で相見《あいまみ》えることになるかも知れぬ。その時に、思いきり罵ってやろうと、胸に収めて、太原は按司館へ回った。

攀安知は、攻防に大きな動きがないので、館で休んでいた。

四歳になる嫡子の思千代を膝に抱いて、妃のウミトの酌《しゃく》で、ちびりちびりと杯を傾けていた。

「おお」

と、太原を迎え、座るとすぐウミトが杯を進めた。

「いただきます」

と、その酌を受けて、攀安知へ軽く捧げてから、ぐっと干した。

攀安知がウミトに目配《めくば》せし、ウミトは攀安知の膝の上の思千代へ、

「さ、お父上様方は、いくさのお話ですので、奥へ参りましょう」

と、手を差し出した。

思千代は素直に父の膝を降り、ウミトに手を取られて奥へ去った。

「だんだん可愛くなりますな」

と、太原は目を細めて見送ってから、膝を直した。

「籠城策を取ったのは、差し当たっては正解であったな。石弾の方は、向こうにお株を取られた感じだがな。しかし、びっくりしたろうな」

と、攀安知は微笑した。

「今のところは、弓と石弾の組み合わせで、進撃を食い止めております。向こうの石弾はこちらより強力で、城内まで飛距離を伸ばしています。直撃を受けた者は数人にとどまっていますが、わが方の石弾では、搦手の方に悲鳴などが上がりましたので、直撃された者が多少はいるようです」

「ふむ。表でも慌てて退却したりしていたから、脅威は与えたようだ。それで、総攻撃を控えているのだろう」

「今のところは、です。ただ、昔、小按司とよばれた巴志は、意外にも、南山島添大里を討ち、引き続き連続的に、中山武寧王を討って国を乗っ取るという、まさに驚くべきことをやってのけています。稀代《きだい》の策略家と申せましょう。今は、攻めあぐねているように見えますが、油断はできません。何やら、時を稼いでいるようにも見えます。三千の大軍をもって、大手、搦手から一気に総攻撃をかければ、我ら四百そこらでは押し返すのは不可能でしょう。今、だらだらと、形ばかりの攻撃をしては退却するというのを繰り返しているのは、巴志はこの城中にどれくらいの兵力があるのか、測ろうとしているのではないでしょうか。あるいは、こちらが籠城策を取っているのにつけ込み、兵糧攻めを考えて、総攻撃を控えているのかも知れません」

「兵糧攻め、な。兵糧はどのくらい持つ？」

「まだ十分あります。十日は持ちましょう」

「十日……しかし、巴志はそれまで、黙って待っているかな。中山の面子《めんつ》をかけてのこの北山攻め。荏苒と、我らの自滅を待つというものではあるまい。何を考えておるのかな、巴志は？」

「もう少し、様子を見てみましょう。昼間はだらだらしていますが、それは我らを油断させるためで、あるいは夜間に、動くかもしれません」

「月も煌々と真昼のようだしな」

「夜間の警戒には万全を期しますが……」

太原は言葉を切った。搦手を守りながら、考えていたことがあった。

「巴志は攻めあぐねて引き上げるなどということはあり得ぬし、いずれ総攻撃を掛けてきましょう。多勢に無勢、我らは結局、踏みしだかれましょう。しかし、兵たちは何とかして救いたい。兵たちに罪はない。そして彼らは皆、一家の柱、親の子、子の親なれば、巴志が総攻撃を掛けてきた時は、抵抗させず、潔く投降《とうこう》させることにし、世の主と摂政たる我ら二人のみ、北山の意地を示すべく、このグスクと運命を共にしたいと思います」

「分かった」

「しかし、子々孫々と申し上げましたが、それには、御嫡子《ごちゃくし》の思千代《うみちょ》様とおなじゃらは今のうちに、抜け穴から脱出させましょう。勢理客《せりきゃく》大親に託して、永良部島へ脱出させたいと思いますが……」

「おなじゃら」とは本来は女按司の意だが、転じて妃――すなわち攀安知王妃ウミトのことであり、勢理客大親はそのウミトの父である。

「ふむ、永良部島な。今の永良部世の主は、私の叔父にあたる。このグスクにもたびたび来ている。よし、思千代は彼に託そう」

「勢理客大親は永良部島には通じています。早速手配します」

「うむ。思千代とウミトを抜けさせれば、思い残すことはない」

　攀安知は晴れやかな顔で、頷き落とした。

　抜け穴は、大隅《おおすみ》に、二か所ある。

　大隅の角の岩場で、普段は上に大石を置いて、岩場の一角のように見せかけており、城兵たちもそこが抜け穴になっていることは知らない。昔からあるもので、按司と重役の一部が知っているだけだ。大石は梃《てこ》で動かすことが出来る。

　今帰仁グスクそのものは、古生代石灰岩の岩盤の上に築かれており、その岩盤の割れ目が、抜け穴になっている。一つは、穴口の大石をどけると、直径六、七十センチほどの穴がポッカリ口を開けており、垂直に一メートルほど降りると横の割れ目へ通じ、その横穴は志慶真川の岸壁へ抜ける。横穴は大人一人が這って漸《ようや》く擦り抜けられる程度で、しかも、その出口は削り落としたような岸壁の中央部で、下の志慶真川まではさらに十数メートルの絶壁が続いているが、縄梯子《なわばしご》を伝って降りることが出来る。

その夜、勢理客大親は、思千代とおなじゃらウミト、思千代の乳母、おなじゃら付きのグスク女二人に、護衛兵数人をつけて、ひそかに抜け穴に向かった。抜け穴口までは攀安知と本部太原も付いていった。

抜け穴に身を入れる前、攀安知は幼い思千代の両腕を挟むように掴まえて、

「よいか思千代、父はこのグスクを守らねばならぬからここに残るが、お前は母上と、勢理客の爺《じい》とともに、海を渡って永良部島へ行くのだ。永良部世の主はこの父の叔父さんだ。このグスクに去年も来たが覚えているかな」

と、語りかけた。

思千代は、こくりと頷いた。

「そうか、覚えているか。きっとお前を大事にするだろう。その永良部の叔父さんのところで、母上とともに暮らすのだ」

「はい……」

思千代は幼いなりに、思い詰めるものがあるのか、つぶらな瞳で、じっと父を見上げて頷いた。攀安知は、

「よし、いい子だ」

と、その頭をなでてから、

「では勢理客大親、頼んだぞ」

と、思千代を託し、

「行け……」

と、命じた。

ウミトは目頭《めがしら》を袖で抑えた。勢理客大親が、その背へ手を回して促した。

思千代と女たちを先に抜け穴へ送って、ウミトは涙の目で攀安知を振り返り、それから攀安知の後に黙然と佇《たたず》んでいる本部太原に、深々と頭を下げた。太原へのそれは、「攀安知王を頼みます」というのか、「世話になりました」という感謝なのか、また両方を含んだそれなのか、太原はその心情を読み取って、

（心得ました）

と、こちらも無言で頭を下げた。

「さ……」

と、勢理客大親に促されて、ウミトも抜け穴へ身を入れた。

攀安知は黙って、それを見送った。そして、本部太原を振り返り、

「もはや思い残すことはない」

と、微笑んだ。太原も頷いた。

本部太原は本部村も治めているので、本拠は本部にあり、妻子はそこにいるので、こちらの懸念はなかった。

しかし、攀安知も太原も、まさか巴志が、永良部島まで兵を進めようとは、夢にも思っていなかったのである。

12

昼は、昨日のように、寄せると見せては引き、引いてはまた寄せると見せ掛け、そんな攻防ともいえない、〝いくさ真似《まね》〟が繰り返されて、今帰仁グスクでは、こちらの籠城策に中山軍は攻めあぐねて、結局は〝兵糧攻め〟に入るのではないかと、守りの方も稍々《やや》だらけてきていた。

夜に入ると、中山軍は表も裏も、炊煙《すいえん》を上げ、〝いくさ真似〟も止んだ。今帰仁グス

クでも兵たちは夜食をとり、それぞれの場所で若干の見張りを立てて、兵たちは仮眠を取った。

夜はすだく虫の音とともに、更《ふ》けていった。

満月は、煌々と下界を照らしている。

夜風も、爽やかである。

いくさでなければ、微睡《まどろ》むような南島の、穏やかな晩春の夜だ。

満月が中天にかかった頃、虫の音が、ピタッと止んだ。

——と突然、大手軍で、法螺貝《ほらがい》が鳴った。虫たちには、予知能力があるのか。法螺貝は二度、三度、夜空に重く轟き渡った。

続いて、それに呼応するように、搦手軍からも二度、三度と法螺貝が吹き上がった。

と、グスクの城壁界隈に仮眠を取っていた城兵たちが、飛び上がった。

「何だ？　何だ？」

ワーッ！

ワーッ！

——と、大手、搦手で、鬨の声が上がった。

城兵たちが、慌てて城壁へ攀じ登って見ると、大手前広場にあたかも地表が捲れ上がり、濁流のように押し寄せてくる。いや、何やら、森が動いてくるようだった。

「総攻撃だ！」

「矢を射よ！」

「石弾だ、投擲せよ！」

城壁上に、板楯が立てられた。

ブスッ、ブスッ！

と、その板楯に矢が突き刺さった。矢を射ようと板楯の上へ構えた兵が、射抜かれてもんどり打って落下した。

城壁に取り付こうと駆け寄る中山兵らの頭上に、石弾がバラッ、バラッと立て続けに降り、あちこちで悲鳴が上がったが、進撃は矢を射掛けながら怒涛のように突き進んできた。

重い板張りの門扉に、ドーン、ドーン、ドーン！　と、丸太が打ちつけられた。十数人が荷車に載せた丸太を打ちつけているのだ。

丸太を門扉に打ちつける兵たちを射ようと、城壁の上に立った兵へ、すかさず下から矢が集中して射落とす。

ドーンッ！

と、丸太は門扉を突き破った。そして、
ワーッ！

と、喚声《かんせい》を挙げて、兵たちが、堰を切った濁流のように、城内へ雪崩れ込んだ。

兵たちは奇妙な恰好をしていた。木々の枝葉を背に括《くく》り付けたり、頭に萱草《かやくさ》を立てたりしていた。それで森が動いてくるように見えたのだ。

雪崩れ込んだ枝葉や萱草の兵らはたちまち大隅の城兵らを襲い、城門左右の石弾投擲器に取り着いた。守っていた兵らは斬り殺され、投擲器は結わえた縄を切られ、青竹は斧で叩き切られて、バラバラになった。

激しい斬り合いが繰り広げられたが、守備態勢は意外にも薄かった。大隅と城門域は、早くも、枝葉、萱草の兵らに占領された。攀安知は兵たちに守られて、按司館へ退去し、按司館の門を閉ざしたが、門は木柱《きばしら》・板戸の形ばかりのもので、ひと押しで破られよう。

志慶真門も搦手勢に呆気なく破られた。

本部太原に、将兵が殺到した。太原の甲冑には、矢が二、三本突き刺さり、折れ矢もあった。すでに鎧を突きぬけて生身《なまみ》に達した矢もあろうが、彼はなお身軽に飛び、また二転三転して、兵らを斬りまくった。取り巻いた将兵は、鬼神《きじん》もかくやとばかりの、その凄まじさに尻込みし、撃ち掛かる者はなかった。

「本部太原――いやさ、武本部《ぶもとぶ》、越来《ごえく》が相手だ」

名乗りを挙げて、越来按司が、槍を翳《かざ》して立ち向かった。越来按司は〝槍越来《やりごえく》〟の異《い》名《みょう》があった。

「おお、越来。参れ」

太原は槍への身構えを取った。突きかかるのを飛んで叩き切ろうという横構えであった。

「わしの槍は速いぞ」

と、越来は薄笑いを浮かべ、シュッ、シュッとしごいて、キェーィ！　と突き出した。

太原は横へ飛んで躱《かわ》したが、越来も飛んで、鋭く突き、太原は太刀で跳ね上げた。だが、越来はすぐさま構え直して、突きかかる。確かに息もつかせぬ速さだ。

しかし、太原も、その鋭い突きを刀で跳ね上げ、まだ飛んで躱して、斬りかかった。

だが、太原の動きがしだいに緩慢《かんまん》になっていく。突き刺した矢がこたえてきたのだろう。

膝を突き、太刀を地に突いて、身体を支える。

越来は構えていた槍を下げた。

「矢傷《やきず》がこたえてきたようですな」

と、労《いた》わりの言葉をかけた。

「何の。まだまだ……」

と、太原は太刀を支えに立ち上がろうとしたが、立ち上れなかった。

越来の従卒《じゅうそつ》が、太原へ刀を突き付けた。

越来はそれを手で制し、片膝を突いて、

「大丈夫かな」

と、太原を覗き込んだ。

太原は苦し気な顔を上げて、

「どうやら、わが命運も、尽きたようで、ござる……」

と、笑った。

「………」

越来は、今帰仁の守り神とも讃えられてきた武人の、断末魔《だんまつま》を見る思いで、

「何か、申し置くことがござるか」

と、訊いた。

太原は閉じかけた目を開けて、

「な、名護按司を呼んで下さらぬか」

と、越来を見上げたが、その瞳孔《どうこう》には、もう死の影が漂っていた。

「名護按司を……。寝返りへの恨みごとでも？」

「それもあるが、しかし、今さら、詮無《せんな》いこと。名護按司には、頼みたいことがある……」

「頼みごと？」

「さよう……」

太原は目を閉じた。越来は太原に死期が迫っているのを見て、従卒に、

「名護按司をこれへ。急げ！」

と命じた。従卒は「はいッ」と答えて、走り去った。

名護按司が駆け付けてきた。

「摂政殿、名護でござる」

声を掛けると、太刀に縋って目を閉じていた太原は、うっすらと瞼を開いた。

「おお、名護か……」

声も低く、弱々しかった。

「はい。摂政殿、しっかりなされよ」

「うむ。名護か……」

太原は瞳を動かして繰り返し、それから片口笑いを浮かべて、

「寝返ったのは、甘言《かんげん》に誘われたか」

と、瞳を据えた。

「いえ。中山世子殿の鬼神の如き勢いを、私なりに読んだからでございます。北山攻めに当たっては、まず守り口の名護グスクが真っ先にやられましょう。我が領民を守るために、降伏の勧告を受け入れたのでございます。羽地按司も同様です。また、中山世子殿は、琉球が三山に分かれて対立しているのはよくない、一つに纏めるべしという明国の意向で、北山に和睦《わぼく》を働きかけるということでございましたので……」

「ふん。和睦ではなく、降伏せよということだったのだ」

「はい。降伏の勧告をし、いくさを避けて貰いたいと、わたしと羽地按司も提案したのです」

「さようか……」

太原はしだいに意識が薄れていくのか、目を閉じた。

「摂政殿、しっかりなさりませ」

「何、大丈夫だ。そなたと羽地、国頭の寝返りを、今さら咎めても詮《せん》ないこと……、それより、名護……」

「はい」

「そなたに頼みがある……」

「何なりと」

「宵口《よいぐち》に、お世継ぎの思千代様と、おなじゃらを、抜け穴から脱出させた……」

「抜け穴……」

「さよう。志慶真川へ抜ける抜け穴があるのだ。そこから、落ちさせ申した」

「………」

「勢理客大親が率いておる。按司添の前は、永良部島へわたり、永良部世の主を頼れと落ちさせたのだ」

名護は驚き、越来按司を見た。越来は頷いた。

「永良部島は、この後、征伐に向かいます」

「何?」

太原は死相がにじみ出た濁り目を剥《む》いた。

「この今帰仁に連なる永良部世の主は、中山の北への道、日本、朝鮮との航路を、しばしば妨害しておりますので……」

「そうか。巴志はそこまでやるか。そうか……。思千代様とおなじゃらは、抜けさせてまだ時も経っていない。遠くは行っていまい。まだ志慶真川の近くだろう。探し出して、保護して貰いたい」

「分かりました」

「名護……」

「はい」

「北山の命運は、ここに尽きる。今帰仁世の主、攀安知王もこのグスクと命運を共にする。が、思千代様とおなじゃらの前は、何とか、身の立つように、世話を焼いてもらいたいのだ」

「…………」

「名護、聞いておるか……」

「はい……」

「思千代様とおなじゃらの前には、何の罪もないことだ」

「分かりました」

うむ、と太原は瞼を落としたまま、頷いてから、

「そこに越来按司はおられるか」

と、顔を動かした。

「越来でござる」

と、越来は答えた。太原は重そうに半眼で見て、

「おお、越来按司。今、名護に申したこと、越来按司からも、中山王と世子に、お口添えいただきたい」

「はい、必ず」

「頼むぞ……」

と、太原は言って、ガクリと首を落とした。

後ろで、城兵たちの嗚咽《おえつ》が高まった。

北山一代の英傑、〝武本部〟こと本部太原は、ここに五十余年の生涯を閉じた。

そのことを告げるために、太原に従っていた将の一人が、越来按司に促されて、按司館へ走った。


表では、すでに巴志が騎馬で城内に入ってきていた。

その巴志にも、越来按司からの使いが来て、搦手《からめて》で、本部太原が最期を遂げたことが伝えられた。

巴志は大隅で戦っている兵たちを眺めた。寡勢《かせい》の守備の兵は追い込まれていた。

「攻撃を止めい！」

巴志は叫んだ。

「本部太原は搦手で討ち取った。いくさは終わった。生き残りの城兵は、捕虜となし、これ以上の殺戮は止めよ」

命じて、巴志は馬を降りて、按司館へ向かった。

按司館では――。

攀安知王は、愛用の太刀で、自ら首を掻き切って、鮮血の中にうつ伏していた。

「………」

巴志は、痛ましく、それを見下ろし、静かに瞑目して、

（いくさの習いなれば……）

と、心に呟いて、合掌した。

それから、身をこごめて、攀安知の手から滑り落ちている太刀を拾い上げた。刃先に黒々と血糊《ちのり》がこびりついていた。攀安知自身の血糊だ。

太刀の柄は黄金《こがね》造りであった。脱ぎ捨てられている鞘も黄金造りであった。

巴志は太刀を満月にかざし見た。反《そ》りの深い、片手打ち、宝剣拵《ほうけんごしら》えの見事な太刀であった。

巴志は鎧の下の袖を千切って、刃の血糊を拭い、拾い上げた鞘におさめて、うつ伏している攀安知の遺体へ、

（見事な太刀である。これは北山王の形見《かたみ》として預かる。後世まで大事に伝えよう）

と、片手で攀安知の遺体を拝んだ。

その時は知らなかったが、それはヤマト交易で手に入れた「千代金丸《ちよがねまる》」という名刀であった（これは現存し、刃渡りは七一・三《セン》《チ》である）。

翌日、船で今帰仁を引き払う時、巴志は船上から、今帰仁の山並《やまなみ》を眺め渡した。見渡す限り、緑深い山並が、折り重なっていた。その山並は、島の北の果て、国頭まで連綿と続いていた。

その翠巒《すいれん》のかなた、霞の中へ、攀安知と本部太原の魂が、溶け込んでいったように思えて、巴志は手を合わせ、瞑目した。

（成仏《じょうぶつ》せよ……）

と、心で呟いた……。

中山の大軍が、今帰仁に押し寄せたことは、今帰仁親泊の海ンチュから、早舟で永良部島に急報された。

そして、数日後、永良部島にもその兵船数隻がやってきた。率いていたのは、中城按司、北谷按司、そして国頭按司であった。兵およそ五百。

和泊後方の丘にあった世之主グスクでこれを眺めていた永良部世之主は、北山王城今帰仁グスクがもはや陥ちてしまったことを悟った。
城壁を「百曲がり」にうねうねと巡らし、難攻不落を誇った今帰仁グスクさえも陥とした中山の大軍に、この小さな島など、対抗すべくもない。
世之主は、もはやこれまでと覚悟を定め、敵の餌食にならぬ前に、そして永良部の民人を救うためにと、妻子を道連れに自害して果てた。
世之主を支えた四人の重臣があった。彼らも世之主に殉じた。その四人とは、
後蘭孫八《ごらんまごはち》
国頭弥太郎《くんぜやたろう》
屋者真三郎《やしゃまさばる》
西目国内平三《にしみくにうちぺーさー》
このうち後蘭孫八は南走平家《なんそうへいけ》の末裔とも、また倭寇の流れともいう。
孫八は後蘭集落の後方に「孫八城」を築いて、拠点としていた。後蘭は地元ではグラルと呼ばれている。奄美諸島にはグリヤ・ゴリヤ・グラル等の地名があり、グラは米倉とか頭領《とうりょう》を意味するといい、孫八はその系統のようだ。
孫八は沖縄本島にも交易で行き来しており、オモロにも「永良部まこはつ」として謡

われている。

永良部《ゑらぶ》孫八《まこはつ》が
玉《たま》のきやく　崇《たか》べて
ひといちよ（船名）は
朝内《すかまうち》に　走《は》りやせ
又離《はな》れ孫八《まこはつ》

孫八の子孫は、先祖は南走平家だとして「平《たいら》」を名乗っている。同家の『孫八伝』によれば、喜界、奄美と流れてきた平氏落人の後胤《こういん》が永良部島へ来て、豪士《ごうし》として勢力を振るい、島主の「世之主」に仕えて忠誠を誓い、世之主の自害とともに殉じた――それが孫八だと記している。

永良部世之主グスクは、今は神社となっており、その近くに「世之主墓」がある。琉球石灰岩の崖を開いて、石垣を巡らし、前庭と内庭を置き、二つの石門を設けている。全長三七・三メートル、幅一〇メートル、豪壮な造りであり、世之主の権勢をしのばせている。

崖を掘り開けた玄室には、中央に世之主・妃・世子の逗子甕《ずしがめ》が三つ並び、四隅には、かの四人の重臣の逗子甕が安置されているという。
島では敬意を込めて、
ウファ（御墓）――
と、呼ばれている。

＊

凱旋した中山は、この北山討伐を正当化するために、北山王攀安知の〝驕傲《きょうごう》〟〝無《む》道《どう》〟を、天下に吹聴する。

それは、伝承化されつつ膨らみ、琉球王府すなわち中山王府の史記が記すような内容となっていったのである。

『中山世譜』『球陽』は、北山王攀安知を、

〈武勇を恃《たの》んで淫逆無道《いんぎゃくむどう》〉

と、決まり文句のレッテルを張り付けて、次のように記していく。

「淫虐無道」の攀安知とともに、本部平原（太原）も勇力きわめて強く、軍士も皆、勇剛驍健《ゆうごうぎょうけん》、その城は険阻で攻撃し難きをもって、攀安知王の驕傲は日に盛んにして、

常に中山を呑む勢いとなった。

とくに攀安知は、封《ほう》を明朝より受けて以来、矜肆《きょうし》ますます甚《はなは》だしく、本部平原と中山を攻めることを謀《はか》り、毎日兵馬を調練した。

一方、中山王思紹は民を撫《ぶ》するに徳を以てなし、政を施すに仁を以てなす。そこへ、羽地按司、兵を率いて来降《らいこう》し、急を告げる（『世譜』に先立つ『中山世鑑』では羽地は飛脚を立てて告知）。山北王が、乱（中山攻略）を起こさんとしている、先に兵を起こすよう訴え、「もし遅れれば、悔いるとも及ばず」とせっついているところへ、国頭按司、名護按司また兵を率いて来降し、羽地と同様のことを報じた。

王はこれを承けて、急遽、世子の巴志に命じ、山北へ征討軍を送った——と、中山の北山併合の意図を隠し、北山が中山攻略へ動いたので、中山は兵を挙げたのだと、受動的に逆転させせているわけである。

王府史記はこのあと、今帰仁グスクの攻防を、勝者巴志の立場から描いていく。中山の「作り上げられた」伝承に沿っているのであろうが、本部平原（太原）を「勇ありて謀《ぼう》なし、また貪欲《どんよく》の人」にし、夜、弁給者《べんきゅうしゃ》（口先巧みな者）を城内に忍び込ませて密かに幣帛《へいはく》（賄賂）を平原に贈り、言葉巧みに利害を説いて内応《ないおう》させる。

攀安知が平原の裏切りを知って怒り、平原を斬り捨てたが、彼の内応によって城中は中山兵が総突入、攀安知は今やこれまでと、宝刀千代金丸で、城内のイビ石（守護神）を叩斬り、自刎《じふん》し果てたと、物語を膨らませた「伝承」で彩っていく――。

第九章　首里遷都《せんと》、三山統一

1

「唐船《とうせん》が来ています。朝鮮国の船で、昨日の大風に煽《あお》られて、避難したと申しております」

運天港からの早馬《はやうま》を受けて、護佐丸は運天へ馬を駆けた。馬は読谷山で乗り回していた愛馬加那志《かなし》であった。

永楽十四年（一四一六）四月末、中山が北山を滅ぼして、ひと月半後のことである。

護佐丸は巴志に命ぜられて、「北山監守《ほくざんかんしゅ》」として、今帰仁グスクに入っていた。

今帰仁グスクは、護佐丸には父祖のグスクであった。

怕尼芝按司によって、時の今帰仁按司は滅ぼされ、その一族は四散《しさん》した。

その一人が名護を経て南下し、読谷山山田にグスクを築いた。山田按司または読谷山按司と称して、中山（浦添）の庇護《ひごか》下に入った。護佐丸はその山田（読谷山）按司の三代目である。

護佐丸は中山巴志軍の将として、北山攻めに加わった。巴志の北山攻めは、三山に分かれた琉球を統一する壮途《そうと》であったが、護佐丸にはその上に、父祖の仇討ちという怨念《おんねん》もあったのだ。

その今帰仁グスクを攻め墜《お》としたのは、護佐丸にとっては、父祖のグスクを取り返したということでもあった。巴志はそのことを思い遣って、護佐丸を北山監守に任じたのであった。

北山監守――すなわち、新しい今帰仁按司である。

ただ、護佐丸は読谷山（山田）按司なので、今帰仁は兼務ということになるが、読谷山（山田）グスクは隠居の父に委ね、この間、護佐丸の片腕ともなってきた瀬名波《せなは》を補佐につけた。かの瀬名波も今は村頭《むらがしら》となり瀬名波大親《おおおや》を称していた。

護佐丸は今帰仁グスクに常住《じょうじゅう》して、もっぱら、いくさの後の人心の動揺をおさめ、今帰仁半島の秩序の回復と、中山王権下の新しい時代への対応を整えていくことになったのである。

護佐丸が駆け付けていくと、運天の港には、唐船同様に赤や黄の旗を靡《なび》かせた、大型船が停泊していた。

琉語《りゅうご》（沖縄語）を解する通事《つうじ》がいて、乗っているのは朝鮮王の使者で、中山那覇を目指してきたが、昨日の大きな風雨で、ここへ避難したのだという。船頭が、かつてこの琉球に使《し》した朝鮮使者の船手《ふなて》の一人で、迷うことなく、この運天港に入ったということであった。むろん、その船頭も琉語を解した。

前回の朝鮮使者というのは、洪武二十二年（察度四十三年、一三八九）、察度王が倭寇に捕らわれて売られてきた高麗人を送還しつつ、琉球産の硫黄《いおう》三百斤に、蘇木《そぼく》六百斤・胡椒《こしょう》三百斤などの南海方物を献じて通交を求めた使者（玉之）への返礼として、高麗最後の恭譲王《きょうじょうおう》が「我国と海を隔《へだ》つること万里《ばんり》、未だ嘗《かつ》て往来せず」という答書《とうしょ》を持たせて派遣した金允厚、金仁用のことである。高麗使者は琉球で年を越し、翌年帰国したのであったが、高麗国はその三年後に滅びた。

倭寇《わこう》鎮圧で名を挙げた軍将の李成桂《りせいけい》が恭譲王を廃して王位に就き、太祖《たいそ》と称して李《り》朝《ちょう》を開き、国号《こくごう》を朝鮮と改めた。

二十数年も前のことだが、朝鮮となっても、察度王・武寧王は通交を継続し、それは思紹の時代となっても引き継がれた。

思紹・巴志の代となっては、すでに永楽七年・八年・十年の三回、漂流民や倭寇による被虜朝鮮人を買い戻して送還しつつ、貿易を求める使者が派遣されており、こうした通交により、朝鮮には琉語を解する通事がいたのである。

こんどの使者は、李芸《りげい》という前援軍《ぜんえんぐん》であった。援軍というのは朝鮮の兵制における将軍位（正四品）で、李芸はこの時、援軍を離れていたので「前援軍」の肩書になったのである。

彼の任務はもっぱら、倭寇に攫《さら》われて、対馬《つしま》・北九州・薩摩《さつま》など広く西日本方面に売られていた朝鮮人を、買い戻して刷還《さっかん》することにあった。

李芸は幼い頃に母が倭寇に拉致《らち》され、それが彼の被虜人刷還への執念となっていったようであるが、太祖元年（建文三年、一四〇一）から十年間、毎年、博多・松浦《まつうら》（肥前）・薩摩を往復して、実に六百六十七人を刷還したという。

琉球に来たのは、琉球中山王から被虜送還の使者がすでに数次に及び、なお琉球には多数の被虜男女や漂流人がいると聞いたからである。琉球に来たのは、その四十三歳の時であった。「琉球国通信官」という役名での来琉であった。

『李朝実録』には、

《太宗十六年（永楽十四年、一四一六）正月庚申《かのえさる》（一月二十七日）前援軍李芸を琉球国に遣わす》

とあって、朝鮮王は本国の人、倭《わ》（倭寇）に被虜《ひりょ》され、琉球に転売された者がはなはだ多いと聞き、命じて李芸を遣わして刷還を請《こ》わしめんと思うがどうか、と言った。

この時、六曹《ろくそう》のうち賦役《ふえき》・財務も掌る戸曹《とそう》の判書《はんしょ》（長官）黄喜《こうき》が、

「琉球国は水路阻遠《そえん》にして且つ今、人を遣わす煩費《はんぴ》甚だ多し、遣わさざるに如《し》く莫《な》し」

――すなわち、琉球は遠すぎるし、このところの財政が厳しく、派遣費用もはなはだ多いので、派遣は見合わせた方がよい、と意見を述べた。

王は「うむ」と頷いてから、おもむろに顔を上げ、

「懐土《かいど》（望郷）の情《じょう》、本《もと》より貴賤《きせん》の殊《ことなり》なし。もし貴戚《きせき》の家において、このような被虜の者あらば、費用を惜しんでいようか」

と言った。

皆、打たれて平伏し、黄喜も、

「分かりました」

と、手を突いた。太宗の婉曲な言い回しによって、李芸の琉球派遣は決定したのである。太宗の人柄がしのばれる。

李芸は日本語に通じていたが、琉球に渡るに当たっては、琉語の通事が付いた。

李芸は二月はじめに朝鮮を発し、対馬、博多、肥前、薩摩を経て、風待ちなどをしながら、四月末、二か月かけてようやくここ運天に辿り着いたのである。まことに、琉球は「水路阻遠」の地であった。

そして、ここ運天港に入って、ついひと月半ほど前に、その今帰仁で大いくさがあ

り、ここ北山王国が滅ぼされたばかりだと聞いて、中山那覇港へ今行っていいものかどうか、逡巡《しゅんじゅん》していたところであった。

李芸の琉球へきた目的はただ、倭寇によって琉球に転売されている朝鮮人被虜を捜索し、母国に連れ帰ることであり、これは中山王を介することなしには出来ないのである。大いくさの直後というだけに、中山はその戦後処理で、慌ただしく、気が立っているに違いないと思ったからであった。

李芸に会った護佐丸は、自分がいくさ後のこの地を預かる北山監守であることを告げた。

「いくさの処理はほぼ済んでおります。それがしも、中山王と世子様に報告があって、登らねばなりませんから、ご案内致しましょう」

護佐丸が言うと、

「ありがたい」

と、李芸は後ろ楯を得た心強さを込めて、護佐丸に腰を折った。

2

護佐丸は李芸の朝鮮船に同乗して、那覇へ回航した。

那覇港から浦添へは、馬を使った。

李芸は中山王思紹に方物《ほうもつ》を献じて、来琉の趣を告げ、被虜人刷還への協力を要請した。

世子尚巴志は李芸を犒《ねぎら》って、快く被虜人捜索を約した。

李芸との面談を終えて、護佐丸は、いくさ後の今帰仁の様子を、巴志に報告した。

「仰せの如くに、いくさで亡くなった今帰仁兵の遺族には、それ相当の手当てをなし、すっかり落ち着きました。与論、(沖)永良部、徳(徳之島)、大島(奄美)、それから喜界にも、かねて繋がりを持つ今帰仁旧臣らを遣り、それぞれ頭《かしら》たちに、違背《いはい》なきよう諭《さと》し、忠誠の誓いを立てさせました」

「うむ。手際《てぎわ》のよいことである。永良部はどうであったか」

大島諸島で、中山が軍を派遣して〝征服〟したのは、永良部島だけである。

「永良部はとくに撫恤《ぶじゅつ》をなしましたが、中山軍が直接手を下したわけではなく、永良部世之主は北山王の血筋なだけに、罪は免れぬとみて自害したわけですし、後蘭孫八《ごらんまごはち》ら名高い四重臣もその後を追ったことで、やはり怨みも残っておりましょうが、島民から人望のある者を新しい頭《かしら》に任じて慰撫《いぶ》しましたので、島人もおいおい気持を入れかえましょう。永良部の方は今後もとくに監視を強めつつ、手当てしていこうと思っておりますが、もとより、わが王化《おうか》に浴《よく》するでありましょう」

「そうか」

「徳と永良部にはこんご硫黄鳥島からの硫黄採掘の任務を、また大島、喜界には馬の調達も、とくに申し付けてあります」

「分かった。手早い指図《さしず》はさすがじゃ。今宵は酒でも酌み交わそう」

と、宵口からグスク女たちに酒肴《しゅこう》の準備をさせ、差し向かいで酌み交わすことになった。

「いよいよ首里に、新しい王城を建設する。城壁の石積みもまもなく始める。やがて、南山も加えて、新しい琉球の世を開こう」

「南山はいつ頃？」

「まだ先だ。南山の他魯毎《たろまい》は、わが北山討伐を見て、びくびくしているようじゃ。中山と競合するとして、明国進貢も及び腰になっている」

「そうですか」

「ま、彼の父汪応祖は切れ者だったが、他魯毎は凡愚《ぼんぐ》だな。八重瀬按司達勃期《たぶち》が弟たる汪応祖を謀殺し、汪応祖を信奉していた南山の按司たちが怒って達勃期を殺し、汪応祖の子他魯毎を王位に就けたのだが、この他魯毎は知恵も胆《たん》もない。その下では、南山の按司たちの結束もない。南山はいつでも併合《へいごう》できるので、急ぐことはない」

「討伐ではなく、併合ですか」

「そうだ。いくさはもう止めだ」

「………」

　島添大里討ち、中山武寧王討ち、そして北山討伐……大いくさを短期間に重ねてきて、武略の天才も、何やら悟るものがあったのだろう。

「新しい琉球を開くために、三山合一はなさねばならぬが、南山は初めから、討伐は考えていない。わしも南山の出だ。先の南山王汪応祖とは、義兄弟みたいな付き合いをしてきたものだ。汪応祖は、わしが彼の父島添汪英紫を討った時、南山王の本拠、島尻まで一気に攻略するだろうと覚悟していたらしいが、わしは中山武寧に向かい、南山は汪応祖に委ねた。わしのお陰で、彼は島尻大里按司すなわち南山王に就くことができた。で、本来は仇であるわしだが、恩義さえ抱くに至っていたのだ。恩讐《おんしゅう》を超えてな。南山の有力按司たちも、そのことを知っているが、凡愚の他魯毎はわしに殺されると、一人怯えているのだ。祖父の大按司汪英紫、中山武寧王、北山攀安知王と、次々に討ち滅ぼしてきたわしが、いくさの鬼にでも見えていような」

「いくさの鬼に……」

「ま、南山の有力な按司たちには、すでに手を回してあるので、急ぐことはない。南山全域を見下ろす首里の丘に、王城を築いて、自然な形で南山も併合し、新琉球を宣《せん》しようと思う。どうだな、わしの考えは」

「はあ。いやあ、何と申し上げてよいか……」

「ははは。こんな話はまだ誰にもしたことはないがな。おぬしを見ると、一緒に夢を見たいような気になるな。おぬしには、そんな大きさが見えるな。北山を見事に治め、島々への手配にもそつがなく、感心したな。今後も我が片腕となって、新生琉球の国造りに力をかしてくれ。頼むぞ」

巴志は笑って、護佐丸の杯に、酒を注いだ。

護佐丸は、巴志の全幅の信頼を身に受けたように、込み上げてくるものを覚えた。

その思いを、ともに呑み込むように、ぐいッと杯を干し、巴志に返盃《へんぱい》した。

この永楽十四年（一四一六）は、一月に三吾良亹《さんぐるみ》が、「謝罪」のため、明国に派遣されている。

3

これは前年十一月、進貢使者が福建で狼藉《ろうぜき》を働いたことへの謝罪であった。使者は正使直佳魯《まかる》（真刈）、副使阿勃馬結制《おばまうっち》であったが、入京して朝貢を済ませての帰り、福建で、使者以下乗組員六十七人が、福建の海船を奪い、官軍を殺し、中官《ちゅうかん》（宮廷官）を殴傷《おうしょう》して、その衣服を奪った。

永楽帝は激怒し、直佳魯は斬首相当《ざんしゅそうとう》、また阿勃馬結制ら六十七人も同罪で死刑相当と断じたが、琉球中山王の忠誠をかえりみて、以後、使者は朝憲《ちょうけん》を犯すことのないよう、厳しく選任するようにとの勅諭《ちょくゆ》を下ろし、処罰は中山王に委ねることにして、帰国させた。思紹・巴志がこれをどう処断したか記録はないが、むろんただでは済まさなかったであろう。

北山討伐直前の三吾良亹の派遣は、この事件に対する謝罪使で、明朝廷は戒《いま》しめてこれを許した。

北山討伐の直後、四月にも、使者韓完義をして朝貢せしめたが、何の咎めもなかった。同進貢には、南山王他魯毎も、前年、冊封されたことに対する謝恩使として唐営の鄭《てい》義才《ぎさい》を送っている。

明けて永楽十五年（思紹十二年、一四一七）四月、思紹と南山王他魯毎は、甚謏志里《しまじり》（島尻）を共通の使者として進貢したが、この時の永楽帝からの贈り物は、いつにもまして厚いものであった。

従来の鈔《しょう》（紙幣）と文綺表裏《ぶんきひょうり》に加えて、金織紗衣《きんしょくさい》、さらに両王に、鈔、絨錦《じゅうきん》・織金《しょくきん》・文綺・紗《さ》・羅《ら》などの絹織物を賜っている。中山が前年の使者の不祥事で委縮《いしゅく》しているのを、励ます意味もあったのだろうか。

中山は同年、八月にも思紹の名で、九月には世子《せいし》巴志の名で進貢しているが、南山他魯毎の進貢は、四月に中山とともに同一使者甚謏志里を派して進貢して以後、七年間も進貢が途絶える。巴志が護佐丸に語っていたように、他魯毎は中山に怯えて、進貢にも腰が引けたのである。

前年、被虜人刷還《さっかん》のため来琉した朝鮮使者（琉球国通信官）李芸は、同年（永楽十五年）被虜人四十四人を取り戻して、帰国の途に就いた。

被虜人捜索に協力を惜しまなかった巴志に、李芸は深々と頭を下げて礼を言った。

「今後もなお、被虜人を捜索し、買い戻して、送還しましょう」

と、巴志は約した。

李芸は七月二十三日に帰国した。

連れ帰ったこの被虜人の中に、全彦忠なる十四歳の少年がいた。慶尚道咸昌県の者であったが、帰ってみると父母は共に亡くなっていた。全彦忠は親を追葬《ついそう》せんと望んだ。王はこれを憐れみ、裌衣《こうい》（袷《あわせ》）二・単衣《ひとえ》一・正五升布《せいごしょうふ》（上質の麻布）十四・米豆《べいとう》ならびに十五石《こく》を賜い、故郷に帰した。


首里の丘には——。

新王城の城壁が、その輪郭を現わしていた。

首里掟《しゅりうっち》（進貢使者名は「寿礼結制」）に工事の采配を委ねていたが、進貢使者をつとめたこともあるだけに、才覚のある男であった。巴志は彼を大親《おおおや》に取り立てた。今は「首里大親」である。

彼は、浦添グスクをはじめ、中《なか》グスク（中城）、越来グスク、勝連グスク、そして中山に陥《お》ちた今帰仁グスクなどを、馬で見て回った。

「天下城であるから、重厚にして、難攻不落の構えにせねばならぬ。縄張りは諸グスクを凌ぎ、最大に。そして石積みはすべて切石の布積み、相方《あいかた》積みにせよ」

というのが、巴志の指示であった。

御城《うぐしく》を築く首里丘陵の頂きは、石灰岩の刺々《とげとげ》しい岩場になっていたが、高台なのに、岩間の一角からこんこんと清水が湧き出していた。まさに城塞《じょうさい》の適所といえた。

岩場はそのまま城壁用に切り出せばよいが、大掛かりなことになる。

「人夫はいくら多くても構わぬ。大動員をかけよう」

巴志の号令一下、首里大親が総監督として、数十人の石工と、数百人の人夫たちが、岩場に取り付いた。

「島添《しまぞえ》大里グスクの城門と前面城壁も、立派な切石積みである。崩して運ばせよ」

と、巴志は命じた。

巴志の旧居城、島添大里グスクは、巴志が中山王城（浦添グスク）へ移って、空き城となっていた。大里には代官（按司補）を置いて治めさせていた。

十数台の荷馬車が造られ、島添大里グスクから、続々、切石を首里の丘へ運び上げた。

一方で、巴志は浦添の臣下や、首里大親らに指示して、山仕事組を編成して大木を伐り出させ、家大工を動員した。

やがて、城壁の石積みが始まった。——

4

「まさか、そんなことが出来るか」

巴志は憮然《ぶぜん》とした面持ちで、明国進貢からの帰国使者の報告を聞いて、投げ捨てるように言った。

使者の名は鄔梅佳尼九。どう読むのか、鄔はオまたはウであるが梅は何の当て字か、「佳尼九」はカニク（兼久）と読める。「世子巴志」の名での、進貢の使者となった。『明実録』には、永楽十五年九月の条に、

《琉球国中山王世子巴志、遣使鄔梅佳尼九等、貢馬及方物。賜鈔幣、遣還。》

と、出ている。使者らは馬及び方物を貢《こう》し、永楽帝は鈔幣《しょうへい》（紙幣）を賜わったのである。

その鄔梅佳尼九が帰国する時（十月末か）、永楽帝が中山王への「勅草《ちょくそう》」を示して、宣諭《せんゆ》（命令）したのである。勅草というのは、勅書の草案である。

それには、およそ次のようにあった。

《汝《なんじ》の国と日本国は交親《こうしん》せり。後日、我《われ》が日本を征《せい》せば、汝の国必ず先《せん》して引路《いんろ》せよ。》

──すなわち、琉球は日本国と親しく通交しているのであるから、わが明国が日本を征する軍を送る時、必ず先導せよ、というのである。

この時、朝鮮の使臣が一緒だった。で、このことは、『李朝実録』に記されている。

太宗十七年（永楽十五年）十二月辛丑《かのとうし》（二十日）、朝鮮王が明国に派遣した使者、盧亀山・元閔生・韓確・金徳章らが帰国し、閔生《びんせい》が報告したのが、右の内容で、

「琉球使臣は、畏れ入って退去しました」

というのであった。

これを聞いた朝鮮王太宗は、首を捻《ひね》った。

「日本を攻めるという琉球国への勅命を、何ゆえ、わが陪臣《ばいしん》（朝鮮使臣）の前で、これを知らしめるや」

朝鮮使臣の前で、琉球使臣へ日本攻めの勅草を示した意図を、判じかねたのであった。

朝鮮は倭寇の跳梁《ちょうりょう》に悩まされてきたが、日明《にちみん》の勘合貿易《かんごうぼうえき》が始まってから、倭寇の活動は鎮静化したものの、倭寇まがいの日本海商たちの朝鮮往来は盛んであり、海賊も出没していた。

太宗はこれらのことで日本に不信感を抱いていたが、朝鮮は琉球より日本に近く、朝鮮にも琉球とともに「先導役」を申し付けようとの含みなのかと、朝鮮王は眉根《まゆね》を寄せ

たのではあるまいか。

永楽帝が日本を攻めると言ったのは、次の事情からである。

明と国交を開き、日明貿易を推進した室町三代将軍足利義満《よしみつ》が永楽六年(応永十五年、一四〇八)に没し、これを継いだ四代将軍義持《よしもち》は、日明貿易が朝貢形式を取っているのを不満として、また亡父義満への反発から、対明《たいみん》強硬策を取って、日明貿易を停止した。

これを譴責《けんせき》するため、永楽帝は永楽九年、王進《おうしん》を勅使として派遣したが、義持はその入京を拒否した。この断交により、鎮まっていた倭寇が再び、明国沿岸を荒らし始めたのであった。

永楽帝は、日本攻略も見据えながら、行人《こうじん》呂淵《ろえん》を遣わして、再び日本を譴責しようとしていたのであり、勅草というのはその日本譴責に当たっての、琉球への勅書の草案だったのである。

巴志は永楽帝の意向を訝《いぶか》った。

「日本国との交易は、我が進貢推進のため欠かすことが出来ぬ。日本とは親しく交際せねばならぬ。まして、足利義持将軍には先年、父王の名で以後の交際のため、進上品も厚くし、将軍から直々《じきじき》に御礼状もいただいたところだ。いかに、明国皇帝の命であろうと、日本を攻める軍の先導など出来ようか。まあ、勅草は見せられたが、正式な勅書でもないゆえ、これは素知らぬふりをしておればよい」

臣たちも頷き、父思紹王も、

「巴志の思う通りに致せ」

と、すべては巴志に任せた。

「しかし、日本国の断交によって、日本製品は琉球と朝鮮からしか入らぬわけで、琉球を日本に背かせるのは、得策ではないのにな」

巴志は、明国朝廷の〝短慮〟を危ぶんだ。

「まあ、確かに、日本の側からの断交は、大明国の沽券《こけん》にかかわることではあろうが、ほんとに、日本征軍の先導役を命ずる勅書がきたら、ちょっと厄介《やっかい》ではあるがな……」

巴志は、思いあぐねた面持ちで天井を見上げ、顎髭《しゅし》をしごいた。

しかし、結局、明は軍を起こさなかった。

だが――。

そういうこととは別に、琉球（中山）はまもなく、大きな悲運に遭遇する。

朝鮮との通交は、「水路阻遠」ゆえに、危険にも満ちていた。

5

李芸が帰った翌年、永楽十六年（思紹十三年、一四一八）は、朝鮮は第四代国王世宗の即位年で、『李朝実録』八月戊戌《つちのえいぬ》（二十一日）の条に、次のようにある。

《慶尚道観察使報ず「琉球国、来聘《らいへい》するに、その使臣、遭風して船破れ、礼物を漂失す。溺死者七十余人、存する者もまた多く病傷す。閑山島に泊す」と。》

王（世宗）は、命じて衣服・厨伝《ちゅうでん》（飲食と宿舎）を賜い、生存者たちを上京させた。一挙に七十余人が荒波に呑み込まれて死に、辛うじて生き残った者たちも多くが「病傷」したのだが、この中からさらに死者が出たであろう。琉球は大きな悲嘆に包まれたことであろう。

生存者の人数は分からないが、船はかなりの大型船で、百人前後が乗り組んでいたと思われる。恐らく、明国への進貢船が朝鮮通交にも回されたであろう。明国への進貢には、毎航海二百人内外が乗り組んでいたが、朝鮮通交にも、かなりの人数が乗り込んでいたことが分かる。このことは後に、海賊船に襲われた朝鮮通交の琉球船があって、「死者数百」との報告があったことでも、裏付けられる。

『李朝実録』には、この慶尚道沿海での遭難の七日前、八月十四日の条に、琉球国王使者入朝の記事が出ている。

《琉球国王の二男賀通連《かつれん》は、人を遣わして、書を左右議政《さゆうぎせい》に呈し、丹木《たんぼく》（蘇木《そぼく》）五百斤・白礬《はくはん》五百斤・金襴《きんらん》一段（反）・段子《どんす》（絹織物）一段・青磁器十事（個）・深黄《しんこう》（ウコン）五十斤・川芎《せんきゅう》（セリ科の薬草）・藿香《かくこう》（シソ科の香草）五十斤・青磁花瓶一口・沈香《じんこう》五斤を献ず》

中国製品に南方（南蛮）物産など、かなりの献上品である。

これに対し朝廷は、九升《しょう》の白紵布《はくちょふ》（麻）二十匹・黒紵布《こくちょふ》三十匹・白紬布《はくゆうふ》二十匹・七升《しょう》の綿布《めんふ》四十匹・六升の綿布百十一匹・五升の綿布二百匹を回賜《かいし》した。布の「升」というのは経糸《たていと》八十本を一升とし、五升（経糸四百本）以上は上等品であり、九升ともなれば最高級品である。

王の二男賀通連というのが誰なのかさだかでないが、朝鮮申叔舟《しんしゅくしゅう》の『海東諸国紀』中の「琉球国図」に「賀通連城」とあって、勝連グスクと思われ、同書「琉球国紀」には、次のようにある。

《琉球国中山王の二男賀通連寓鎮《ぐうちん》と称す。其の書の略に曰く、予《よ》の兄今年淹逝《えんせい》し、予

始めて通聘《つうへい》す、と》

「賀通連」は「勝連」、「寓鎮」は寨官《さいかん》（按司）の意で、すなわち勝連按司のことであろう。勝連は浦添中山とは一線を画して独自の道を歩んでいたようだが、ここでは連携して、勝連按司が国王（中山王）の「二男」の肩書で、朝鮮に通じたのではあるまいか。「予の兄今年淹逝」の「兄」は前勝連按司のことであろうか。

慶尚道で遭難した琉球船は、この「賀通連」が送った船と一緒に派遣された、中山王派遣の船ではないかと思われるが、『李朝実録』では「賀通連」の使者たちに、そのことの言及がなく、関連性は不明である。

七十余人が水死するという一大遭難事故があっても、海邦琉球はなお、海へ乗り出して行かねばならなかった。怯《ひる》んではいられなかった。

その永楽十六年（思紹十三年、一四一八）は、年初に、唐営長史《ちゃぐし》の懐機《かいき》が進貢使として派遣された。

懐機は二月、入京し、馬と硫黄、日本、南蛮物産などの方物を貢いだ。成祖永楽帝は、懐機に冠帯《かんたい》と鈔幣《しょうへい》を賜わった。

懐機の出自、生年は明らかではなく、使者として表に登場するのはこれが最初であるが、唐営で明朝への表文作成など、琉球の進貢業務に携わっており、とくに巴志の信望を得て、後には王茂《おうも》を継いで「国相《こくしょう》」(王相《おうしょう》)となり、巴志の右腕となって支えていくほど、才気に溢れた人物であった。

この初入貢の時は、まだ三十代であったろう。

同年は十一月には阿乃佳（アラカー＝新川か）が進貢使となって赴いたが、阿乃佳は翌年帰国して、同年中に三隻を率いて、南蛮シャム（暹羅）との交易に出ている。すなわち、これが記録に残っている限りでは、琉球船の初めてのシャム通交船となった。永楽十七年（思紹十四年、一四一九）のことである。

これまではシャム船の来航などで、南蛮物資を調達し、明国への進貢、朝鮮との通交に用いていたが、シャム船の来航は不定であり、巴志は琉球自ら出掛けて、南蛮物産の入手を図ったのであった。

一挙に三隻も派遣したことに、巴志の南蛮交易への意気込みが見える。

シャム国王への咨文《しぶん》（漢文）は、唐営長史が書いたのだろう。懐機自身かも知れない。シャム国も明国に朝貢しており、明国との公文書はすべて漢文であった。

シャム国には、進貢貿易で入手した明国の陶磁器を中心に、日本製品などを持って行き、シャムからは、蘇木・胡椒・香木・南蛮酒（香花酒《こうかしゅ》）・紅布《こうふ》などを、大量に仕入れてくるのである。象牙《ぞうげ》や犀角《さいかく》などもあった。
阿乃佳《あらかー》に続き、翌永楽十八年には、佳其巴那《かきはな》（垣花）がシャム交易に出掛ける。通事《つうじ》は梁復《りょうふく》。『中山世譜』には、シャムとの通交は久しく「往来無数《おうらいむすう》」なるが、記録は失われている、と付記している。
かくて——。
琉球（中山）は、明国、日本、朝鮮、南蛮（東南アジア）——と、交易を広げ、後年、巴志の息子（八男）尚泰久《しょうたいきゅう》王が首里城正殿に掛けた大梵鐘に、誇らかに、
《舟楫《しゅうしゅう》を以て万国《ばんこく》の津梁《しんりょう》と為《な》す》
——という銘文を刻んだような状況を拓《ひら》いたのであった。
察度王のところでも見たが、那覇築港と「万国」の船々が寄り集まる状況を謡ったオモロは、まさにこのことを謡っているのである。

首里《しょり》　在《お》わる　太陽子《てたこ》が
浮島《うきしま》は　造《けら》へて
唐《たう》　南蛮《なはん》　寄《よ》り合《や》う　那覇泊《なはとまり》

6

しかし――。

万里の海を乗り越えていくのは、やはり容易《たやす》いことではなかった。

シャム航路を拓《ひら》いた前年は、朝鮮沿岸で遭難して七十余人が水死、多数が傷病するという海難事故があったばかりだが、『李朝実録』によれば、シャム交易の翌永楽十九年（思紹十六年、一四二一）には、朝鮮へ通交に出た琉球船が、対馬海賊に襲われ「数百」の使者を出し、船を焼かれ、物資を奪われるという事件が起こったという。

琉球船が朝鮮慶尚道沿岸で遭難する二年前、永楽十七年（応永二十六年）六月に、日本では「応永《おうえい》の外寇《がいこう》」、朝鮮では「己亥東征《きがいとうせい》」と呼ばれる事件があった。倭寇に悩まされていた朝鮮が、対馬を倭寇の巣窟《そうくつ》と見做《みな》して攻めた事件である。

朝鮮軍は、兵船二百二十七隻一万七千二百余の大軍で対馬浅茅湾《あさじわん》から上陸した。島民百十四人が斬殺されたが、朝鮮軍も百数十人の死者を出し、十日余で撤退した。

朝鮮に協力的で、倭寇鎮静化を図った対馬島主宗定茂《そうさだしげ》が前年亡くなり、息子の貞盛《さだもり》が島主を継ぐが、島の実権は倭寇の頭目と目される早田左衛門太郎《そうださえもんたろう》が握った。

朝鮮でも、国王親子の確執《かくしつ》があった。第三代国王太宗《たいそう》からその第三子世宗《せいそう》に世継ぎされたばかりだった。太宗は、絶えぬ倭寇の侵害から、しだいに対日強硬策を取り、遂に「己亥東征」に踏み切ったのであったが、世宗は親日派だった。

その世宗元年、対馬倭寇《つしまわこう》が朝鮮沿岸を襲撃した。

また、対馬宗氏と対立していた博多の前九州探題《たんだい》　源　道鎮《みなもとのどうちん》（渋川満頼《しぶかわみつより》）から、最近、貴国に向かう南蛮船が、賊に襲われ奪われた、対馬の賊徒《ぞくと》は朝鮮辺境《へんきょう》を荒らしているので、海辺の警備を厳重にした方がよいとの通報も加わって、対日強硬論者の前国王太宗は対馬討伐の意を固め、親日の世宗を抑えて、大軍を催したのである。

その後、朝日《ちょうにち》双方の遣使《けんし》、太宗の死による世宗の対日融和策、対馬の宗貞盛の統制等によって、朝鮮と対馬（日本）は修好《しゅうこう》するが、監視の隙を衝いて海賊はなお出没していた。

そして、朝鮮に向かった琉球船が、その海賊に襲われた、という前九州探題からの通報がもたらされた。

『李朝実録』世宗三年（永楽十九年）十一月六日の条に、日本国前九州総管（探題）源道鎮が朝鮮に遣使して、左右議政《さゆうぎせい》に書を呈したことが出ている。左右議政というのは、領議政《りょうぎせい》と共に議政府《ぎせいふ》の首職《しゅしょく》である。

前九州探題からの書簡には、
《近頃、琉球国の商船、対馬の賊の邀《よう》（撃）するところとなり、彼此《ひし》の死者幾乎《ほとん》ど数百、遂に舟楫《しゅうしゅう》を焚毀《ふんき》し、人物《じんぶつ》を虜掠《りょりゃく》す。琉球国は比来《このごろ》我に貢献《こうけん》す。故に其の罪を問わんと欲するも、夫《そ》れ対馬の賊は人面獣心《じんめんじゅうしん》にして、教化《きょうか》、法令《ほうれい》を以て制し難し。貴国の沿海の州都《しゅうと》は、当《まさ》に戍禦《じゅぎょ》を厳《げん》にし、以て賊変を待つべし。伏して惟《おも》うらく、照亮《しょうりょう》されんことを。》
――とあった。
琉球史記には、この事件のことはない。対馬宗氏と対立する九州探題の通報は、先の南蛮船が対馬の賊に襲われたと報告したように、漠然として、事実かどうかも定かでないが、その前年（永楽十八年、応永二十七年）、例の「応永の外寇」（己亥東征）始末で来日した朝鮮使者宋希璟《そうきけい》は、その著『老松堂《ろうしょうどう》日本行録』に、
「朝鮮の船は則《すなわ》ち本《もと》より銭物《せんぶつ》無し。彼《かれ》の後に来る瑠球《りゅうきゅう》船は多く宝物を載《さい》す。若《も》しその船来《きた》らば則ち奪取する也。」
と、日本海賊が話していたと、記している。
なお、琉球船が襲撃されたと、朝鮮議政府に伝えた前九州探題源道鎮は、この時、朝鮮王に、

硫黄一千二百觔・丹木（蘇木）一千斤・明礬二百斤・象牙二本・犀角三本・樟脳《しょうのう》五斤・磁盆《じぼん》五事・手箱二介・食籠《しょくろう》一介・砂糖二百斤

――を献じている。明国、南蛮、琉球の産物で、琉球とは親しくしているというから、琉球との交易で得た品々であろう。

7

この年――永楽十九年（一四二一）は、明国も琉球も、大きな世替わりの年であった。永楽帝が帝位に就く前、燕王として居していた北平《ほくへい》に、紫禁城《しきんじょう》が完成して遷都《せんと》し、北平を北京《ぺきん》と改め、明国の新たな首都となした。南京に対しての北京である。

そして、琉球でも――。

首里の丘に、新しい王城が完成して、この年、恰《あたか》も明国の北京遷都と軌《き》を一《いつ》にするように、浦添から遷都したのであった。

南山から出た思紹・巴志父子にとって、中山浦添グスクは「乗っ取ったグスク」であり、忸怩《じくじ》たるものが心の底に蟠《わだかま》っていたが、まさに自前《じまえ》の王城を建設し、過去の王朝のしがらみから抜け出した「新王朝」の誕生ともいうべき、画期的なことであった。国人を大動員し、文字通り中山国挙げての一大プロジェクトであった。

首里城は、幾代も重ねて整備してきた浦添グスクを凌《しの》ぐ規模で、その雄姿を現わした。

刺々しい岩山だった首里の丘はなだらかに均《なら》され、切石《きりいし》の高い城壁が、屏風《びょうぶ》を巡らしたように聳《そび》え立った。

標高百三十米《メートル》だが、盆地のように落ち込んだ南すなわち南山側、そして、陥没して地底のようにさえ見下ろせる那覇港沿岸へと続く西の平地から見上げれば、まさに仰ぐような高さである。

頂きに立てば、三百六十度眺望が開け、天下を見渡す頂点に立った感動を覚えずにはいられない。まさしく〝天下城〟というに相応《ふさわ》しかった。

王殿は豪壮で、瓦葺きであった。瓦は、浦添グスクの高麗系瓦も運ばせ、加えて、新しく焼成場を設けて焼いた瓦であった。これは赤瓦ではなく、灰色の瓦である。赤瓦はまだ焼かれていない。

しかも、その中山は、これまでの中山ではない。北山を併合し、この沖縄本島の実に五分の四もの領域を支配下に置き、残りの一分――南山をまさに呑み込もうとしていた。

南山にはもはや、強大化した中山に抗するすべはなかった。

巴志の大望——三山統一は、もう目前——というより、もはやほとんど成し遂げたも同然であった。

オモロは、首里城の築城と、首里遷都を、次のように謡っている。

首里　在《お》わる　太陽子《てたこ》か
玉石垣《たまいしがき》　造《けら》へて
玉黄金《たまこかね》　持《も》ち満《み》ちへる　くすく

首里にあられる王様が
堅牢美麗な城壁を築き上げた
宝物も満ち溢れるグスクぞ

首里杜《しよりもり》　造《けら》へて
造《けら》へたる　清《きよ》らや
上下《かみしも》の世
揃《そろ》ゑる　くすく

首里グスクを守る御嶽も築いたよ
ああ、その御嶽の神々しさよ
上下の世を
揃えるグスクぞ

首里杜《しよりもり》　真玉杜《またまもり》　造《けら》へて
後勝《のちまさ》る　世掛《か》け拍子《ひやし》　みおやせ
下足《しもあし》から　元足《もとあし》から　おり上《あ》けて

首里御嶽・真玉御嶽を築いて
末永く世を守って下さい
世の足元から積み上げて

丈高《たけたか》く　幅広《はりひる》く　おり上《あ》けて　----　グスクの城壁は高く、幅広く、積み上げられたよ
首里　ちよわちへからは　----------　王様が首里においでになったからは
島《しま》の主太陽《ぬしてた》よ　琉球を統べる王様ぞ
今《いみや》ど　上下《かみしも》　鳴響《とよ》む　今こそ、上下にその威徳はとどろきわたるよ

首里杜《しゅりもり》・真玉杜《まだまもり》というのは、首里城内の御嶽《うたき》である。祭政一致の古琉球期、グスクは聖域としての存在でもあり、必ず天神地祇《てんじんちぎ》、そして王の世を讃え崇《たか》べる御嶽が置かれたことである。

8

しかし……。
この首里遷都の直後中山は、深い悲しみに包まれた。
巴志の父、思紹王が薨《こう》じたのであった。
実は、去年から、思紹王は病の床にあった。七十に手の届く高齢であり、衰えは深刻

なものがあった。明らかに死期が迫っていたが、巴志は枕元で励まし続けた。

「父上。我らのグスクが、首里の丘に建ちましたぞ。いよいよこの浦添より遷都して、首里に我らの新しい都を開きますぞ。見届けて下されよ」

父思いの巴志としては、何としても、父をこの新しい王城の玉座《ぎょくざ》に座ってもらいたかったのだ。

そして、その父を擁《よう》して、遂に、木の香も新しい〝我が王城〟に入ったのであった。

新王城に入った思紹王は、満足そうに巴志に頷いて、やがて、静かに、息を引き取ったのであった。

永楽四年(一四〇六)、武寧王を倒して即位し、翌五年、永楽帝から冊封され、在位十六年。

薨逝《こうせい》月日は王府史記では不明で、年齢も「不伝《ふでん》」としているが、巴志はその十八の子で、その巴志が四十九になっていたから、寿《じゅ》六十七ということになる。王の享年は「寿」という。

王に神号《しんごう》が付くことは前にも見た。舜天は「尊敦」、英祖は「日子《てだこ》」だが、その子孫王たちはすべて不伝《ふでん》。それまで「神号」を付ける定《き》まりはなく、舜天も英祖も後代からの追号であった。

察度王の時から神号が付けられるようになったと思われ、察度王は「大真物《おおまもの》」であり、武寧は父王に次ぐ王という意味でか「中之真物《なかのまもの》」であった。思紹の神号は「君志真物《きみしまもの》」である。「君志」は君（王）たる志を持った真者《まもの》（偉大なる人）の意味であろうか。

永楽十七年（思紹十四年、一四一九）は、中山は三度進貢（一度は明年元旦賀使を兼ねる）して、馬と方物を貢いだが、翌十八年、翌々十九年は、連続して進貢を休んだ。これは思紹王の病が重くなり、また首里遷都で慌ただしく、国人を動員したことと、思紹王の薨去による喪《も》のためである。

思紹王が薨じたその年は年末まで、国じゅうは喪に服した。

年明けて永楽二十年（一四二二）、巴志は正式に即位した。巴志、五十歳である。髪も鬚髭《しゅし》も半白《はんぱく》になっていたが、むろん、矍鑠《かくしゃく》たるものであった。

巴志は、即位を期して、「尚《しょう》」を以て、王姓《おうせい》となすことも、布告した。「尚」は、尊ぶ、高く擢《ぬき》んでる等の意味があり、王の権威を高め、人民の親として尽くすことを本分とする姿勢を、天下に示す――という趣旨であった。

今までの王には姓がなく、王統としての継続性を姓（氏）で示すことがなかった。しかし、世の平安は王統の継続性によってもたらされると、巴志は考えたのである。

明国皇帝も歴代「朱《しゅ》」姓が継続し、朝鮮王も「李《り》」姓を繋いでいた。日本においても、摂関家《せっかんけ》は藤原姓で永続性を示し、幕府将軍もこれは政権交代で姓は変わっていくが、政権はそれぞれ、平姓、源姓を経て、足利姓も初代尊氏にはじまってすでに五代にわたり「足利」で継続され、こんごも「足利」の世は続くだろう。

「王姓の不変は、世の平安・安定の証《あかし》ともなる」

巴志は重臣の会議でこのように言って、

「予《よ》は、『尚』姓を我が王統の揺るぎない姓と為し、万世一系《ばんせいいっけい》、世の平安に努める所存である」

と、宣言したのであった。

巴志――いや、もはや、尚巴志王であるが、即位元年の永楽二十二年（一四二二）の秋、重臣の模都古《もとく》（真徳《まとく》）が進貢使として派遣される。尚巴志はまだ父王の訃《ふ》を告げていなかったので、これは思紹の名での進貢であった。

明国朝廷は、南京から北京に、遷都していた。

使者模都古は十月、琉使としては初めて、北京に登った。

琉球船の発着港は福建泉州であり、南京より遥か北方の北京は、琉使には倍の陸行《りくこう》となった（琉球船の発着が泉州より北の福州に移るのは五十年後の成化《せいか》初期である）。

翌永楽二十一年夏も、巴志は阿不察都《うふさと》（大里）を使者として進貢したが、まだ父思紹の訃を告げていなかったので、「世子《せいし》」としての進貢であった。

この時、永楽帝はモンゴル親征《しんせい》中で、代わって皇太子仁宗《じんそう》が礼部に命じて、宴を催し、琉使一行を労《ねぎら》った。

翌永楽二十二年（一四二四）二月に至り、巴志はようやく、父思紹の訃を告げつつ、自らに対する冊封を請うたが、この時の表文《ひょうぶん》に「世子尚巴志」と名乗っている。『明史』に、

《――中山王世子尚巴志來告……》

とあり、八月十六日付の皇帝勅文に「琉球国中山王尚巴志」と明記している。『明史』に初めて記される「尚巴志」の姓名である。

王府史記は、この六年後の宣徳五年（一四三〇）、内官柴山《ないかんさいざん》・副使阮漸《げんぜん》が宣徳帝宣宗《せんそう》の勅《ちょく》をもたらし、王に尚姓を賜った――としているが、その六年も前から、巴志は尚姓を名乗り、『明史』も「尚巴志」と明記していたのである。

宣徳五年に尚姓を賜ったというのは、すでに巴志が尚姓を名乗っていたのを、追認したということであろう。

9

「尚巴志」が明朝《みんちょう》に父王の訃を告げつつ、冊封を請うた永楽二十二年（尚巴志三年、一四二四）、永楽帝成祖《せいそ》は第五次モンゴル親征中で、皇太子が令部に命じて、行人周彝《こうじんしゅうい》を遣わして、思紹王を諭祭《ゆさい》させた。

尚巴志王冊封は永楽帝の帰還を待って冊封使を派遣して行なうことにしていたが、同年九月、永楽帝はモンゴルから帰還途中に病没してしまった。

皇太子仁宗が登極《とうきょく》、翌年洪熙《こうき》と改元し、尚巴志の冊封はその仁宗洪熙帝によって行われる。

その洪熙元年（一四二五）、仁宗洪熙帝は中官（宦官《かんがん》の宮中官《きゅうちゅうかん》）の柴山《さいざん》を派遣し、勅をもたらして、尚巴志を冊封し、冠帯《かんたい》・襲衣文綺《しゅういぶんき》を賜った。この冊封式典は、同年六月二十七日に挙行された。

洪熙帝仁宗の勅は次の通りである。

《昔、我が皇考《こうこう》（亡き父帝）太宗文皇帝《たいそうぶん》（永楽帝、諱《いみな》を文皇帝）は、天命を受けて全国を統一、恩沢をひとしく施し、遠近ともにその仁慈に帰服《きふく》せり。爾《なんじ》の父、琉球国中山王思紹は聡明賢達、篤実にして忠誠、天を敬い、大国に事《つか》え、永年懈《おこた》らず。我が皇考はその忠誠を嘉《よみ》し給う。今、朕《ちん》は大統《だいとう》を承継《しょうけい》せり。爾が父没してすでに久しく、爾はその嫡子なれば、宜しくそれを承継すべし。特に内官柴山を遣わし、勅を齎《もたら》し、爾に命じて琉球国中山王を嗣《つ》がしむ。爾、孝と忠を立て、徳を修め善を務め、以て国人に福をもたらすならば、その地位と栄光は永遠たるべし。怠ること勿《なか》れ。ここに勅諭《ちょくゆ》す。》

こうして――。

尚巴志は正式に、明国から、

〈琉球国中山王〉

として封じられたのである。

しかし、冊封使柴山を琉球に派遣した仁宗洪熙帝は、柴山を送り出してまもなく崩《ほう》じた。生来病弱で、在位わずか八か月であった。

その子宣宗《せんそう》（二十七歳）が即位した。

この年（洪熙元年）、尚巴志は三船五使を、明国に派遣している。

「王舅《おうきゅう》」模都古を、冊封の謝恩使に任じた。（巴志が三年前の即位年に進貢使者として父思紹王の名で派遣した模都古は「法司《ほうし》」に任じられていた。法司は後に三人制になり、三司官《さんしかん》と呼ばれ、国政を仕切る要職である。）

前年は南山使者となった唐営長史鄭義才《ていぎさい》を、前帝（成祖永楽帝）の陵、長陵《りょう ちょうりょう》への進香《しんこう》使者に、実達魯《したる》（小樽《しゅたる》）を謝恩使として送った。

三使は帰国する冊封使柴山の船に便乗しての渡明で、閏《うるう》七月十七日、朝廷に上がって、任務を果たした。

鄭義才は朝廷に、海船一隻の支給を願い出た。

「風難《ふうなん》に遭《あ》って、前に支給された海船は壊れてしまい、ゆえにこのたびは冊封天使《さくほうてんし》（柴山）の船に便乗して参りましたが、どうか新たな海船一隻を賜り、それで帰国し、以後の朝貢もこの賜船《しせん》をもって滞りなく、果たしていきたいと思います」

即位した宣宗はすぐ工部に命じて、船一隻を支給した。

同年は続いて十二月、長史鄔梅支・使者阿蒲察都《うふさと》（大里）が、前帝成祖の万寿聖節《ばんじゅせいせつ》（天子＝皇帝誕生日祝）の賀使《がし》に、同時に進貢使として浮那姑是《ふなこし》（船越）が入朝した。通事は唐営の李傑《りけつ》。

鄔梅支、阿蒲察都はこの入朝で、仁宗洪熙帝が崩じ、宣宗が即位して「宣徳」に改元されたことを知るのである。

琉球には、帰国した阿蒲察度から、洪熙帝仁宗の崩御、宣宗が登極し宣徳と改元したことが伝えられた。

宣徳元年（尚巴志五年、一四二六）は、三月に慶賀使阿蒲察都《うふさと》、閏七月に慶賀使佳其《かき》巴那《はな》、八月に進貢使浮那姑是《ふなこし》・南者結制《なんじゃうっち》、九月に進貢使郭伯祖毎、十二月に進貢使宋比結制と、実に五船五使を送っている。矢継ぎ早の派遣である。

宣徳二年六月には、内官（中官とも）の柴山が再び派遣されて来琉、王に皮弁冠服《ひべんかんふく》、妃に綵幣《さいへい》等を賜わった。

これは前年、柴山に伴われて入朝した冊封謝恩使の王舅模都古が、先の尚巴志冊封には皮弁冠服の支給がなく、賜った「冠帯・襲衣文綺」というのは、常服一揃《じょうふくひとそろえ》と紗帽《さぼう》、犀《さい》帯《たい》だったので、旧例に基づいて、皮弁冠服の下賜を願い出たからである。

柴山は帰国に際し、銅銭二千貫を出して、生漆《きうるし》および磨刀石《まとうせき》（砥石）を買い求めようとしたが、琉球内で全額分を調達するのは困難であった。で、生漆二百七十斤、磨刀石三千百五十五斤、代金は合わせて銅銭二百八十二貫七百文で収買《しゅうばい》し、残りは後日買い集めて送るようにと、残額の千七百十七貫三百文は琉球側に預けて、翌年（宣徳三年）春、帰国した。

この宣徳三年（尚巴志七年、一四二八）春、首里城前に、建国門《けんこくもん》（国門《こくもん》）が建てられた。

これは首里城への大手道《おおてみち》（後年「綾門《あやじょう》大通り」と呼ぶ）の入口で、現在の安国寺、玉陵《たまうどぅん》の前あたりである。

〝建国門〟の建立は、首里遷都を「新琉球」の建国と位置付ける、巴志の理念と意気込みが示されている。

門は「中山門《ちゅうざんもん》」と命名され、まだ滞在中だった明使柴山が揮毫《きごう》した「中山」の二文字を扁額にして掲げた。（後に首里城正門近くに「守礼門」が建てられ、中山門を第一門、守礼門を第二門とした。この二門の間が「綾門通り《あやじょう》」である。）

この年、王は、唐営長史の鄭義才らを遣わし、馬と方物を貢じて、皮弁冠服と海船を賜わったことを謝した。宣徳帝は義才ら使者に、冠帯および金織《きんしょく》（織金《しょくきん》＝金襴《きんらん》）・紵糸《ちょし》（緞子《どんす》）・襲衣《しゅうい》を賜わり、他の従者すべてに、素紵《そちょ》（白緞子《しろどんす》）などを賜わった。

尚巴志王にも勅を下ろし、紵糸・紗《さ》・羅《ら》・錦緞《きんどん》を賜わった。王は長史梁回《りょうかい》に方物を持たせて、謝恩した。

10

尚巴志王は、中山王権を握るや、明国との進貢貿易に、中山の命運をかける勢いで、これを推進していった。進貢に伴う、いわゆる進貢貿易は莫大な利益をもたらすものであった。

思紹王の名で、毎年、二、三回進貢船を送り、思紹王晩年には毎年三、四回も進貢した。

思紹王が薨《こう》じ、自分の代となるや、さらに勢いを増した。

即位三年目の永楽二十二年（一四二四）には三回、その翌年は改元されて洪熙となるが、五使を派遣した。

翌年の宣徳元年（尚巴志五年、一四二六）も、実に五回も進貢する。

三月には阿蒲察都を、八月には浮那姑是・南者結制を、九月には郭伯祖毎、十二月には宋比結制が進貢した。この四進貢のほかに、閏七月、佳其巴那を宣宗即位慶賀使として派遣したが、これは進貢も兼ねていたので、五回の進貢（貿易）である。

思紹王代、永禄九年、同十一年、同十七年に四回ずつの派遣はあったが、洪熙元年・宣徳元年の一年に五回というのは、五十三年に及ぶ進貢の歴史で、初めてのことである。

進貢船は一船に百～三百人、平均二百人内外が乗り組んでいたと思われるから、この年は何と約一千人が渡明した勘定になろうか。
二、三百人が乗り組む進貢船とは、どれくらいの大きさだったのだろう。
明代の場合、後年の冊封船の規模は、例えば嘉靖《かせい》十三年（一五三四）の尚清王冊封使陳侃《ちんかん》の船は、長さ十五丈《じょう》（明代の単位で四六・六五メートル《メートル》）、幅二丈六尺（約七メートル《メートル》）、高さ一丈三尺（約四メートル）もあった。陳侃の船には、使者、随員、兵、水夫あわせて三百四十人が乗って来たことである。

進貢船もこれに近かったのではないか。

翌宣徳二年の進貢は三回（魏古渥制、浮那姑是、阿蒲察都）。次の年、宣徳三年（尚巴志七年、一四二六）は三船で、五使の派遣（一月に長史鄭義才、南者結制、長史梁回・達且尼、九月に漫泰来結制、阿蒲察都）である。

宣徳四年も三船で四使。三月は進貢使の阿蒲察都、宣宗の万寿聖節の賀使に魏古渥制、十月には佳其巴那、郭伯慈毎の二使である。

進貢貿易とともに、南蛮（シャム）交易も本格化する。

洪熙元年（尚巴志四年、一四二五）には、佳其巴那（通事梁復）、阿勃馬結制の二船に、十二月に明国に進貢した浮那姑是・通事李傑が、明国からそのままシャムに向かっている。尚巴志王からシャム国王への咨文には、

《洪武より永楽に至るまで、年来《ねんらい》、曾祖父王、先父王より、今に至るまで、逓年《ていねん》（毎年）累《しき》りに使者を遣わして、菲儀《ひぎ》をもたらし捧げ、前《すす》んで貴国に詣《いた》り奉献す》

とあって、察度王、武寧王、思紹王の代から自分の代まで、毎年使者を遣わして、物産を捧げて通交してきた——と述べ、以後の交誼《こうぎ》を願っている。

翌年、宣徳元年には八月に明国に進貢した南者結制が九月にシャムに渡っている。宣徳二年には、九月に実達魯《したる》が、また浮那姑是《ふなこし》も九月に明国進貢から、そのままシャムに回航している。

宣徳三年九月も、再び実達魯が渡っている。

シャムとは毎年、交易を展開し、まもなく、ジャワ、スマトラとの通交も開かれていくのであり、蘇木、胡椒を中心とした東南アジア物産は、明国進貢はもとより、日本、朝鮮との通交、交易の重要物資となっていくのである。

中国―東南アジア（南蛮）―日本―朝鮮と、尚巴志王は海邦琉球を、その位置条件から交易国家へと導き、まさに〈万国津梁《ばんこくしんりょう》〉の面目躍如たる状況を拓いていったのであった。

11

尚巴志は即位とともに、二男を「北山監守《ほくざんかんしゅ》」として、今帰仁グスクに派遣し、護佐丸と交代させた。

前に見たように、護佐丸は本来、読谷山按司であるが、巴志は、今帰仁グスク攻略後の北山圏の人心の動揺を鎮《しず》め、中山への信服《しんぷく》を図るために、旧今帰仁按司の裔孫《えいそん》でもある護佐丸を今帰仁に留め、北山監守に任じたのであった。

護佐丸は読谷山の居城（山田グスク）を隠居した老父すなわち前読谷山按司に、重臣瀬名波大親をその補佐役につけて委ね、この六年間、北山の治安、民心の安定に努めたのであった。

中山に信服した今帰仁グスクの臣らを使者に立てて各地を巡らせて説諭させ、また要《よう》地《ち》は自ら巡って、村々の頭たちに会い、新しい頭などを任じた。

離島も伊是名島、伊平屋島はもとより、前北山王下にあった与論島、永良部島、徳之島も中山への忠誠を誓わせ、さらに、大島（奄美）、喜界島まで、懐柔《かいじゅう》をはかった。

時々は読谷山に帰ったが、父はめっきり老け込んでしまって、この二、三年は病の床に就いたりしていた。

で、巴志に願い出た。

「北山の地、そして離島も、すっかり治まりましたので、わたしもそろそろ読谷山に戻りたいと思います。父も老け込んで病がちになっておりますれば――」

「よかろう」

と、巴志も、護佐丸の読谷山帰還を容認した。「そなたはよくやってきた。北山には誰か、適当な者を送ろう。治まったとはいえ、遠隔の地なれば、やはりしっかりと見張っていかなければなるまいからな」

思紹王が薨じた年、後を追うように、護佐丸の父も逝《い》った。

護佐丸は、新監守と交代して、居城に戻った。

北山監守となった尚巴志の二男は、この年三十一歳。その童名《わらびな》チューに因んで、尚忠と命名した。

尚巴志の二男――というが、長男の名を王府史記は伝えていない。早い時期に、佐敷で養子にやったのであるが、巴志は即位すれば、その長男を呼び戻して跡継ぎにするつもりで、二男はさしあたり、遠地北山の監守に派遣したのである。

この北山監守となった尚忠は、今帰仁グスクを居城とすることになり、「今帰仁王子」と呼ばれることになった。

護佐丸は読谷山に戻った時、三十六歳。武寧王の冊封の年に生まれた護佐丸の長男盛《もり》千代《ちよ》は、十七になっていた。もう嫁取りの年頃である。

もう一人、女児が生まれたところであった（この女児は後年、尚巴志王の八男で後に即位する越来王子尚泰久《しょうたいきゅう》の妃となり、百十踏揚《ももとふみあがり》を生む）。

護佐丸は、その名の通り山中に埋もれた我が山田（読谷山）グスクの佇《たたず》まいを眺め渡して、傍らに立った瀬名波大親に、

「明国も北京に遷都し、中山王城も首里に移ったことだし、我らも〝遷都〟するか」

と、笑った。

「遷都……」

「何、この山の中から出て、もっと広々としたところに新しいグスクを築いて、移ってはどうかと思うのだ。北山を気にしなくてもよくなったし、中山王城も首里へ遷都して遠くなった。もう少し、南へ出ていけば、首里との連絡もし易かろうとな」

「いいと思います」

「さっそく、首里に赴き、尚巴志王様のご意見を承ろう。尚巴志王……何ともめでたく、重々しい御名《おな》ではないか」

「まことに」

「ご即位の時、按司たちも皆、招集を受けて駆け付け、新しい王城を讃え、まさにその新王城開きとともに始まる尚巴志王様の御代《みよ》へのお祝いを申し上げた時、尚巴志王様は姓を尚《しょう》と名乗ることを申されたが、世の平安を願う深いお思いがあられた。按司たちも皆、感動されていた。わしは特に、五年余も戦後の北山を整えたことを労《ねぎら》われた」

「永良部島や徳之島は、かねてから我らに対しては挑みかかるようなところもありましたから、難しかったでございましょう」

「いや、永良部島に兵船数隻、五百余の兵を送ったのが効いて、素直に忠誠を誓ったよ」

「しかし、難しい北山をよく纏め上げられて、按司添《あじそい》の前《めー》の御名もまた上がりましたな」

「ふむ。それがまた山の中に埋まるのでは、北山の人民にも示しがつかぬ。開けた地へ出ていこうというのは、首里と結んで、なお睨みを利かす意味もあるな。御二男は温厚だから、その後ろ盾にもなれと、尚巴志様からは改めて申し付けられたから、やはり表の目立つ位置に、どんと、新しいグスクを構えた方がいいと思うのだ」

「読谷山のど真ん中、周囲が広く見渡せる開けた地といえば、座喜味《ざきみ》あたりはどうでしょうか」

「座喜味な」

　馬で回ったことがある。村の背後はなだらかな丘になっていたが、まだ登ったことはない。大北崎《おおにしざき》（残波岬）の台上、瀬名波村・宇座村からの続きで、瀬名波はそのあたりの地理を熟知しているのだ。

「眺望はいいです。名護から今帰仁方面も一望のもとですし、越来を越えて勝連まで見えますし、南は浦添を越えて、首里まで見えるんではないでしょうか」

「ほう、そんなに。よし行って見ようか」

二人はさっそく、馬を飛ばした。

なるほど、素晴らしい眺望だ。

瀬名波が言っていたように、北は恩納岳から名護を越えて今帰仁半島は一望できるし、その先の離島、伊江島、伊是名、伊平屋まで眺められる。

「よく晴れた日には、与論島も見えます」

「ほう！」

と、護佐丸は目を細めて透かし見たが、きょうは見えなかった。

西は慶良間の島々から、渡名喜島、粟国島。東は越来を越えて、具志川、勝連半島。そして南へ目を転ずれば、平坦な読谷山の原野を越えて中城、宜野湾、浦添の丘陵、そのかなたに霞んで見える丘陵が首里方面のようだ。（実際、この座喜味台地は標高においては山田グスク、勝連グスク、今帰仁グスクなどより二、三十メートルも高いし、ほぼ首里城と同じ高さで、高いところで百二十七メートルもある。）

眼下には、かつて宇座の泰期が交易活動を展開していた良港、長浜がある。

何より、この座喜味丘陵は赤土（国頭マージ）の台地になって、地形がなだらかである。岩場を削る必要がない。そのまま土丘《つちおか》の上に城壁を築けばよい。

「よし、瀬名波。ここに新しい読谷山グスクを築くぞ！」

護佐丸は、胸躍る気持で叫んだ。

「はいッ！」

瀬名波も胸を叩いた。

護佐丸は数日後、首里御城へ上がり、尚巴志王に、座喜味築城の計画を示した。

「うむ、それはいい。そのように眺望が開けているのであれば、あちこちへの睨みも利くな。西の海、北の島々にもな」

尚巴志王の許しを得て、護佐丸は座喜味築城に取り掛かった。——

12

首里城も着々と、城域の整備が進められていた。

この整備は、唐営長史懐機《かいき》が、尚巴志王から一任されて、指揮を執《と》っていた。

懐機は、沖縄語（琉語）はもとより、日本語にも堪能であった。

北山討伐二年後の永楽十六年（思紹十三年、一四一八）二月、懐機は進貢使として北京に赴き、永楽帝に謁《えっ》して、長史《ちゃぐし》の冠帯《かんたい》を賜わった。この後、翌年まで北京にとどまって、明国の礼楽文物、紫禁城を中心とする都の盛栄《せいえい》をつぶさに観、また名山、大山の荘《そう》を観察した。

帰国してみると、渡明前から、国人を大動員し、まさに中山の国を挙げて建設に入っていた首里城は、見事に首里の丘に聳え立っていた。遷都も滞りなく済んで、城外に重役たちの邸宅の位置取りも行なわれ、建築が進みつつあった。

そんな中で、思紹王の病は重くなり、やがて、その首里の新王城で薨じた。

思紹王の喪が明け、尚巴志の御代が、晴れやかに開かれる。

懐機は、その首里の新王城の城域を、中国の都城《とじょう》に倣《なら》って、国城たるに相応しく整備することを尚巴志王に提案した。

懐機の才覚を全面的に評価していた尚巴志は、

「任せる」

と、一任した。

懐機の指揮の下、城域整備は進められることになった。

懐機の構想は、首里城前面、大手道の北側一帯に、遊園の築山《つきやま》を築き、松柏《しょうはく》、花果《かか》樹《じゅ》、薬木《やくぼく》などを植える。

首里城から流出する湧き水を引いて、築山の北側に、舟遊びも出来るような広い池を掘る。

また、この築山と向き合う南側には、城壁に沿って台謝《だいしゃ》（物見台）を設ける。すなわち、国王をはじめとして、グスク勤めの役人たちの、政務の余暇の遊息地とするだけでなく、広く人民の遊覧にも供するのである。

このような遊宴の地を設けることによって、国都の風雅《ふうが》を高めようとするものであった。

尚巴志王の即位とともに、この外苑の建設は始められた。

延べ一千余を動員して、ほぼ一年がかりで、築山と池は完成した。

懐機は樹華木を植えた築山を、国の安寧を込めて「安国山《あんこくざん》」、池を琉球（龍）の池（潭《たん》）の意で「龍潭《りゅうたん》」と名付けた。

安国山と向き合う城壁西端には、物見台たる台謝も築かれた。

「安国山」の、首里城正門に向き合う南縁《なんえん》には、首里城を守護する御嶽《うたき》を置き、神木のクバ（蒲葵）とクロツグ（桄榔）などを植えた。

遊園は広く国人に開放され、それによって、尚巴志王の御代を、民人に開かれたものとして、印象づけたのであった。

その竣工とともに、折しも唐営の王相《おうしょう》、王茂《おうも》が老齢のため致仕《ちし》願いを出したので、尚巴志は後任の王相に、長史懐機を推薦し、唐営はこれを受け入れた。王の命令は、むろん浮島の唐営にも及ぶが、形の上では唐営は明朝の出先機関でもあり、「王相府」を置いて、左右長史のもとで自治権があり、尚巴志王は筋を通したのである。

しかし、唐営が尚巴志王の推薦により、懐機を「王相」に格上げしても、これは明国皇帝の承認を得なければならない。といっても、明国が琉球の申請を却下することは殆どなく、ほぼ申請通り承認するのはならわしになっていたから、懐機の昇格は決定したも同然であった。

懐機の学識の高さ、進貢貿易をはじめ、日本・朝鮮・南蛮との交易における指導力、そして国政への提言などに、かねて感銘すら覚えていた尚巴志王は、新王政の中で、懐機を中枢の一人、文字通りの王の相談役・顧問役として、取り立てていくことを考えていた。

従来の「王相」は、あくまでも進貢の顧問であったが、尚巴志は懐機に国政への参加も求め、「国相《こくしょう》」と称することにした。もっとも、この称号も明国皇帝の承認を得なければならないから、当面、「国相」は琉球内での位置づけであった。

懐機が「王相」＝「国相」に任じられて間もない宣徳二年（尚巴志六年、一四二七）、懐機が築いた「安国山」に、石碑が建てられた。

もともと、碑を建てる予定はなかったのだが、たまたまその年、洪熙元年に尚巴志冊封使として来琉した柴山が再来琉、それと一緒に、澹菴《たんあん》という安陽《あんよう》（河南省）の僧が来た。学識豊かな僧で、懐機は親しく懇談した。

懐機に伴われて、安国山と龍潭に遊んだ澹菴は、

「なかなか風雅なものですな。琉球国のぬくもりを感じますな」

と、呟いたので、懐機はそれを築いたいきさつを話した。

それを聞いて、澹菴は提案した。

「後の世のために、ここを築いたいきさつを碑文にして建ててはいかがかな」

「碑文を……」

懐機は、わが意を得たりと頷いた。

で、澹菴に、撰文《せんぶん》を頼んだのであった。澹菴は快く引き受けた。

こうして、

〈安国山樹華木之記碑《あんこくざんじゅかぼくのきひ》〉

が、安国山に建てられたのである。

これは、琉球で現存する最古の金石文《きんせきぶん》で、碑面は一三五×七四センチ。『琉球国由来記』（一七一三年）の「ソノヒヤブノ御《お》イベ」（園比屋武御嶽《そのひやんうたき》）の条に、次のようにある。園

比屋武御嶽とは、安国山の前に置かれた、首里城の守り神たる御嶽のことである。

《此の御嶽《おたけ》裏、尚巴志王御宇《ぎょう》、宣徳二年丁未《ひのとひつじ》八月既望《きぼう》（陰暦十六日）、安国山樹華木之記碑文を建つると雖《いえど》も、年来久遠《ねんらいくおん》にして、文字詳《つまび》らかに見るを得ず》

文字磨滅《まめつ》して、ほとんど読めなくなっているというのである。

昭和初年に拓本《たくほん》が採られ、東恩納寛淳と真境名安興が判読に取り組み、その大要がようやく分かった。

――琉球は国が三に分かれ、中山はその中に都《と》し、俗は惇朴《じゅんぼく》にして、信義を重んじ、明《みん》初《しょ》に到って方物を貢《こう》し、航海絶えず、大明皇帝はその忠勤を嘉《よみ》し、特に衣冠印章《いかんいんしょう》を賜わった。永楽丁酉《ひのととり》、国相懐機は王命を奉じて北京に行き、中国の礼楽文物の盛《せい》、名山大山の荘《そう》を観て帰国。中国にならって、王城外の安国山の北に池を掘り、台謝《だいしゃ》を南に築き、政務の余暇、遊息の所とした。安国山には松柏などの木を植え、花果、薬木を植え、国の人士《じんし》がここに遊覧宴集《ゆうらんえんしゅう》することが出来るようにした。

――およそ、このように読めたことである。

碑文は遊園の風雅への頌辞《しょうじ》を送りながら、懐機の「偉業」を讃えている。

「安国山」は今ではハンタン山といっている。ハンタンは「側」のことで、首里城の側の意である。

13

なだらかな小高い丘の上に、そのグスクは、屏風のような切石を布積みにした城壁を、端然と巡らしていた。

「ほう！　ほう！」

と、見上げながら登っていった尚巴志は、鷲が羽を広げたように湾曲した城壁の中央を刳り抜いた石造拱門《きょうもん》の前で馬を降りた。

その拱門前には、護佐丸をはじめ、重臣たちが、芝草《しばくさ》の上に手を突いて、迎えた。

尚巴志王の来城は突然のことであった。数刻前に先触れがあったのである。

ひらりと、馬を降りた尚巴志王は、髪も眉も鬚髭《しゅし》も、ほとんど白くなっていた。もう五十四、五になっている。

「皆、そう畏《かしこ》まることはないぞ。俄かの訪問で、寧ろ迷惑をかけてしまったのはこちらだからな。護佐丸按司、皆を寛《くつろ》がせよ」

尚巴志は気さくに言った。

「はッ――」

と、護佐丸は身を起こし、居並んで手を突いている臣下たちに、

「皆、それぞれの持ち場へ戻れ」

と、皆を立たせた。

護佐丸は、皆が拱門を潜って退いたのを見届けて、尚巴志を案内して、城壁を巡った。ちんまりと小型なグスクであるが、城壁の高さは、この拱門に連なる前面で、高いところは十三メートルもある。それは緩やかな湾曲を描いて、優美である。

全面積は七、三八五平方メートル（二、二三四坪）だが、城壁面積はほぼその半分の三、三七三平方メートル（一、〇二〇坪）。

グスクの完成は、尚巴志王の三年、永楽二十二年（一四二四）であった。

今帰仁王子（尚忠）に北山監守を引き継いで、山田（読谷山）グスクに帰った護佐丸は、尚巴志王の了解を得て、山田南方の座喜味《ざきみ》の地に、新しい読谷山《よみたんざん》グスクの築城に取り掛かったのであった。

読谷山の村人をはじめ、北山監守として与論島、永良部島、徳之島、さらに慶良間諸島――と西北の島々にも、絶大な支配力を及ぼしていた。それらの島々から人夫を集め、山田グスクの城壁を崩して切石を運ばせ、また読谷山内の岩山から石を切り出して、布積みに築き上げたのだった。

山田から座喜味までは、直線距離でせいぜい一里余（約四キロ）といったところだが、当時は山林地帯であり、山あり谷あり、そして谷川もあって、切れ切れに、細い山道はあっても、曲がりくねって、直線距離に数倍する遠さがあったろう。

伝説では、山田グスクからの石運びは強制労働で、人夫たちの分担区域を定め、リレー式に、手渡しや、綱で引かせた。この時、山道が開かれたが、その山道沿いに、慶良間宿《じゅく》・永良部宿・与論宿などと呼ばれる人夫小屋も置かれた。

城壁の積み上げも、同様に島ごとに分担を決めて、石にその目印を刻して、競い合わせた。

グスクは外郭、内郭の二連郭の単純な構造だが、外郭内郭ともに、見事な湾曲をなした城壁は、立地が赤土の丘陵なので、崩れないようにとの工夫が、結果的にくねくねと股を張ったような曲線構造になったのである。

門は外郭にどっしりした拱門（正門）一つ、内郭に同じく拱門一つの二つしかない。両門とも棟石《むねいし》は湾曲し、巧妙に楔石《くさびいし》を打ち込んで強度を付けている。琉球のグスクで、石造拱門に楔石が打ちこまれているのは、この座喜味（読谷山）グスクだけである。

湾曲する高い城壁は、前面は整然たる切石の布積みで、まるで全身鎧で身を固めたようで、隙がない。

「なるほど、そなたが自慢していただけの見事な城構えじゃな。堅牢な構えというより、美しい。まるで大鷲が、ゆったりと羽を広げているようじゃ」

尚巴志は、感嘆の声を上げた。

いかにも――。

小振りながらも、切石の布積み・相方積みを組み合わせ、当時の石造建築技術の粋を凝らした城郭の到達点を示す名城、と今日的にも評価されている構造である。

外郭は厩と門兵らの詰所が置かれているだけで、広場になっており、兵の訓練場にもなっている。内郭は板葺きの按司館《あじやかた》と付属の建物が二つほどの、シンプルな構えである。

城壁は分厚く、巾は三～五《メートル》ほどもあり、外郭内郭それぞれに内側から石段が取り付けられている。城壁の上へ登って見張りが出来るし、散策も可能だ。

護佐丸に案内されて、その城壁の上へ登った尚巴志は、ぐるりと巡って、「ほう！ほう！」と、しきりに感嘆の声を上げた。

「いい眺めじゃ。まさに天下が一望の下じゃな」

護佐丸は、あちらが越来、勝連方面、こちらが中城、宜野湾、浦添方面、そして遠く霞のかなたが首里……と、手で示した。

尚巴志王は「ふむ、ふむ」と、目を細めて見渡し、

「いい場所に、構えた」

と、頷いた。

「山の中から、表に出てきたという感じかな。それも、この新しい読谷山グスクは、まさに中山と北山の結び目だな。おぬしの威名《いめい》は、北山にとどまらず、中山にもとどろいておるな。北山にはチュー（忠）を配し、今帰仁王子を名乗らせておるが、我が息子ながら、今一つじゃ。永良部、徳、大島あたりまでは、手が回るまい。北山全域にも、もっと目配りをしていかねばならぬ。前北山監守たるそなたの助けが必要じゃ。よろしく導いてくれ給え」

「はい、及びます限りは……」

「頼むぞ」

尚巴志は言って、改めて、ぐるりと眺望し、

「ふむ、まことによい眺めじゃ。天下が見渡せる。北山だけでなく、そなたには天下も守護して貰わねばならぬな。読谷山按司護佐丸、今や、天下一の武将じゃ」

ははは……と、尚巴志は磊落《らいらく》に笑った。

14

宣徳四年（尚巴志八年、一四二九）三月、尚巴志王は魏古結制《ごえくうっち》を、宣徳帝の生誕祭「万寿聖節《ばんじゅせいせつ》」の賀使に、佳其巴那（垣花）を進貢に派遣した。

そして、この年、南山は中山に併合され、その独自の歴史を閉じる……。

中山の北山討伐後、南山は急速に勢いを失い、明国進貢も停滞した。

北山滅亡後の永楽十五年（一四一七）から、宣徳四年の南山滅亡までの十二年間、中山はこの十二年間に、実に三十六回も明国に進貢し、貿易している。一年平均三回である。

ところが南山は、この十二年間にたった七回である。永楽十五年から二十二年まで七年間は、一隻も出していない。進貢は長く中断したのである。

この中断を経て、永楽二十二年にやっと二回出したが、翌年からまた三年間中断、その後さらに二年中断する。

こうした南山の進貢の空白、中断は、他魯毎王下の南山の衰えを示すものにほかならず、宣徳四年に二回進貢して、南山はその年、ついに滅亡するのである。

王府史記は、南山滅亡を北山と同様の「いくさ」に仕立てている。

『中山世譜』『球陽』は、次のように書いている。
見出しは、『世譜《せいふ》』が、
《山南王他魯毎、中山の滅ぼす所と為る》
『球陽』は、
《（尚巴志）王、義兵《ぎへい》を起こして山南王他魯毎を滅ぼす》
内容はこうである（『世譜』『球陽』同文）。
《他魯毎、封を朝《ちょう》に受けて、驕心稍々《きょうしんやや》動き、その後、奢侈《しゃし》日に加わり、常に忠諌《ちゅうかん》を拒《こば》み、宴遊《えんゆう》是れを好む。政事を務めずして、臣民《しんみん》之れを怨む。諸按司朝《ちょう》せず、他魯毎兵を発して罪を問う。諸按司畏懼《いく》して、多く中山に投ず。
他魯毎怒りて曰く「賊奴《ぞくど》巴志と謀事《ぼうじ》を同じくして乱を倡《とな》う。悉《ことごと》く誅滅《ちゅうめつ》せざれば、吾《われ》怒り息《やま》ずと、遂に軍令を伝えて軍馬を聚整《しゅうせい》せり。
山南騒動して事《こと》中山に聞こゆ。巴志曰く「時至るかな」と自ら四方の按司を率い、親しく往きて之を征すれば、山南の百姓喜躍《きやく》して拝迎《はいげい》す。
他魯毎尽《ことごと》く怒り、軍を率いて出戦《しゅっせん》し、大敗して走る。将《まさ》に門に入らんとするの時、城上より箭《や》を放ち、門を開いて拒禦《きょぎょ》す。他魯毎、前後に敵を受け、力の施すべきなく、擄《とら》われて誅《ちゅう》に伏《ふく》す》

尚巴志が中山武寧王を、また北山攀安知を討った時と、ほぼ同じフレーズである。いずれも、驕者《きょうしゃ》となり、政事を壊《こわ》して暴虐、ゆえに諸按司は朝せず、巴志は義兵を起こして討ったと、ワンパターンの勝者の論理で、王府史記はハンコを押したように片付けている。

しかし、この南山の場合、朝《ちょう》しなかった按司たちへの他魯毎王の「怒り」が加わり、王は「兵を発して（按司たちの）罪を問」い、諸按司は恐懼して、多く中山尚巴志王に投じたという南山内部の確執が付け加えられ、これを「南山騒動」と呼んで、そこへ尚巴志王がつけ込んだ——としている。

つまり、南山滅亡は、按司たちの動向がキー・ポイントになっている。

南山按司たちは、かの島添大里攻略で尚巴志の恐ろしさを身に染みて知っていたし、そして、間髪を容れず、武寧王を討って中山を乗っ取り、さらにあの険阻な山国、北山を正面から攻めて陥とした怒涛の進撃を、目の当たりにしてきた。

息を呑んでいるうちに尚巴志は、この南山をも一望に見下ろす首里の高地に、新王城を築き上げたのだ。

今や、あの高地から、この南山を呑み込まんと、見下ろしているに違いないのだ。

明国進貢も尚巴志の中山が一手に握り、南山の付け入る隙もない。いや、そもそも他魯毎王が尚巴志王を恐れて、進貢も腰が引けている。進貢には南蛮・日本の物産が欠かせないが、南蛮・日本との交易は中山が独占している。

先代の汪応祖までは、唐営の斡旋で若干の物産を中山から頒《わ》けて貰い、それで曲がりなりにも進貢していたのだが、他魯毎王は中山の世話になるのは、尚巴志に借りをつくるものである、しかも尚巴志は、もとを正せばこの南山の裏切り者、祖父の仇ではないか、それに借りをつくればつけ込まれるし、また南山としての矜持《きょうじ》もある、などと空威張りに胸を張り、こうして、他魯毎の代になって、南山の進貢は断絶したのである。

もっとも、他魯毎の代になっても、南山の進貢は断続的に記録されている。しかし、それはほとんど、中山が南山の名義も使ってなしたもので、中山は進貢では二重の利を得るに至っていたのだ。

進貢も出来ない南山は、徐々に衰退への道を辿るが、そんな中でも、他魯毎は佞臣《ねいしん》らを側に置いて、「驕心《きょうしん》」を抱き、「奢侈《しゃし》」「宴遊《えんゆう》」を好み、政事を放棄している。

得るものもないから、諸按司はそれぞれ自領にこもり、自ずと朝《ちょう》も怠るようになる。

これに怒って他魯毎が兵を発して罪を問うたというが、それは上納の取り立てなどのことであろう。

南山は今や、「国」の体《てい》をなしていなかった。

「三山」といい、あたかも対等の三国が鼎立していたかのような印象を与え、装ってもきたが、もとより中山がこの沖縄＝琉球の中心であり、北山は辺境の山国、そして南山は島の南端の一角に位置しているに過ぎなかった。

それも今や北山は中山に呑み込まれ、そしてこの島尻の南山は……それとて東半五間切はすでにして尚巴志支配下に中山に組み込まれており、他魯毎王の南山は、残された西半の小領域でしかない。まさに島の尻尾、吹けば飛ぶような〝辺国〟に過ぎず、中山に対すれば蟷螂の斧である。

にも拘わらず、他魯毎王は明国から冊封された「南山王」として、中山王に肩を並べているかのように、南山で偏狭に振る舞っているのだ。

按司たちも自領にこもって、ほとんど出てこないから、南山王城――島尻大里グスクは無防備の状態である。

尚巴志王が動けば、南山はひとたまりもなかろうが、その尚巴志はなぜか、動かない。

島添大里、中山武寧、北山……と、わずか十四年のうちに、これだけ「怒涛の進撃」をなしながら、北山討伐から十二、三年もなるというのに、南山を攻略するそぶりもない。

北山討伐後、次は南山を討伐し、三山を統一すると、尚巴志は公言していると聞こえて、他魯毎以下南山の按司たちは震え上がったが、どうやらそれは北山討伐の興奮から広がった単なる噂らしく、尚巴志自身が南山の出なので、攻める気がないのであろうと、南山では、やれやれと気を抜いたのだったが、尚巴志は南山を放置したのではなかった。

近々のうちに、尚巴志は南山を攻めるらしいという噂が、どこからともなく流れてきた。

他魯毎はびっくりして、按司たちに非常招集を掛けた。

しかし、飛んできた按司は二、三。後は病気とか、留守とか、旅とかで参集しなかった。

実は――。

やはり、尚巴志が動いたのだ。密使を南山の按司たちへ送り、中山への帰順を促したのである。

尚巴志が動いたのは、南山某按司からの訴えがあったからだ。

徳なき他魯毎王のもとでは、南山は衰退し、人民の暮らしは塗炭に堕ちるだろう、すでに、按司たちは他魯毎王を見限って、自領にこもるようになっており、他魯毎王はこれを怒って、罪に問わんとしている、何とか救っていただきたい、と。

もとより、南山の状況は、尚巴志も密偵を放って、探らせていたことだ。

尚巴志は南山の按司たちへ、他魯毎王を討つことを告げ、中山に合するよう働きかけ、懐柔したのである。

按司たちはほとんどが、渡りに船と、応じた。

他魯毎のような惰王と、共倒れなどごめんだ。領民を救うためには中山の庇護下に入ることだ。

他魯毎は〝裸の王様〟になった。

南山諸按司の中山への帰順と、他魯毎王の滅亡については、有名なエピソードがある。

カデシガー（嘉手志川）伝説だ。

——尚巴志王は金彩《きんさい》の屏風を持っていて、他魯毎王はこれが欲しくてたまらなかった。南山グスク（島尻大里グスク）の城下に、カデシガーという名泉があり、清水がこんこんと湧き出て、どんな旱魃にも涸《か》れることがなかった。で、尚巴志王は、カデシガーとなら金彩屏風を交換してもよいといい、他魯毎王は喜んで交換した。

尚巴志王は従う者にしかこのカデシガーの水を与えなかった。それで、諸按司、人民は皆、尚巴志王に降《くだ》った、尚巴志王は四方の按司を従えて、他魯毎王を討った——と、これは『球陽』に載っている。

金屏風とカデシガーの交換は単なる比喩であるが、諸按司が尚巴志王からの誘いで、他魯毎王から離反したことを、このエピソードは語っているわけである。

諸按司が寝返って、尚巴志王に投じたと知った他魯毎王は震え上がり、妻子、側近らとともに王城から〝夜逃げ〟した。

他魯毎王は、三十年ほども前、先々代の承察度《うふさと》王が、王叔《おうしゅく》――他魯毎にとっては曾祖父の汪英紫《おうえいし》に圧迫されて、一族近臣、南山を脱し、遥か朝鮮に亡命したことを聞いていた。

それに倣《なら》って、亡命しようと思ったのである。

しかし、他魯毎王の〝夜逃げ〟を知った南山の按司たちは、後顧の憂いを断つべく、その後を追い、捕えて誅殺したのである。

こうして、南山は呆気なく亡びた。

尚巴志王が軍を動かすまでもなかった。

――王府史記は、尚巴志軍が攻めたことにしているが、北山討伐では過ぎるほど克明に描いた討伐の模様も、南山に関しては、

《他魯毎尽《ことごと》く怒り、軍を率いて出戦《しゅっせん》し、大敗して走る。将《まさ》に門に入らんとするの時、城上より箭を放ち、門を開いて拒禦《きょぎょ》す（誰が？）。他魯毎、前後に敵を受け、力の施すべきなく、擄《とらわ》れて誅《ちゅう》に伏《ふく》す。》

――と数行、抽象的、アリバイ的に記しただけである。具体性がないのは、尚巴志王は、王軍を動かさなかったからである。

他魯毎王の墓は、糸満の山巓毛《さんてんもう》にある。

他魯毎には弟がいたという。後年付けられた唐名《とうな》は阿衡基《あこうき》、名乗りは南風原守忠《はえばるしゅちゅう》で、按司の身分に叙《じょ》せられ、名門阿氏《あうじ》の元祖となる人で、幼い時に両親を亡くし、兄の他魯毎に育てられたという。

攻められた時、兄の他魯毎を助けようと奮戦したものの、他魯毎は捕らわれて殺された。

守忠も兄を追って自害することも考えたが、それよりは、逃れて、兄と祖先の菩提を弔っていくべきだと思い直し、敵の包囲網を潜り抜けて、具志頭《ぐしちゃん》に逃れ、かねて知っていた安里大親を訪ね、匿《かくま》われる。

が、まもなく王軍に所在を突き止められ、追討軍が向かっていると聞いて、

「ああ、天運尽きたか」

と観念して自害しようとしたのを、安里大親に、

「早まられるな、北山に逃れられよ」

と止められ、彼の言に従って、与那原まで来た時、折よく山原通いの舟があって、そ

れで久志汀間《くしていま》村に行き、数年過ごした。

その後、具志頭の安里大親のもとへ戻って、大親の娘を娶り、一男をあげた。この男子が後に尚真王の養父となった花城《はなぐすく》（親方）守知《しゅち》（阿擢辛《あようしん》）で、彼の娘は尚真王の夫人となり、尚清王を産んだ——という。

その子孫は旧南山の名門すなわち南山王所縁《ゆかり》の者として、「第二尚王統」の近世期には重く取り立てられた。

15

宣徳四年（尚巴志八年、一四二九）——。

南山王他魯毎の最期により、ここに、中山は南山を併合、三山は中山のもとに統一された。

尚巴志の宿願——「天下を取る」という、青年期からの野望は、ここに達成されたのであった。

南山の一角、僻陬《へきすう》の海辺から、大志を胸に飛び立った若鷲《わかわし》は、遂に、世の頂きに立ったのである。

その世の頂き——国門「中山」を晴れがましく建てた首里王城の高見に立ち、天下を眺め渡して胸を張り、雲の上の父に、

「父上、遂にやりましたぞ。天下を統一しましたぞ！」

と、叫ぶべきところであろうが、もはや五十七——浮かれる年でもない。むしろ、ここはどっしりと、大きく構えていなければならぬ。

いままでは、天下を取る、言い換えれば〝奪《と》る〟ことに、全情熱を傾けてきた。それは中山を〝乗っ取り〟、北山を討伐して達成された。そして、南山も併合した。

これからは、この「統一琉球」を、どう運営していくかを考えていかなければならぬ。

三山統一を目指した大目的は……三山の争いを断つ、すなわちそれは、三山の中にうごめく按司たちの野心を封じ込み、天下に号令を下す位置に立ち、その下で、いくさ世のない琉球の平和を確固たるものにし、人民の暮らしを保障していくことだったのだ。

そうだ、我はもはや、国父《こくふ》となったのだ！　尚巴志は物見台に立って、〝天下〟を眺め渡しながら、そのことを、重く、胸に落としたことであった。

物見台は、国相懐機《こくしょうかいき》が調《ととの》えた安国山遊園の南、すなわち首里城西端、安国山の碑文に刻まれた「台謝《だいしゃ》」である。

その懐機が、台謝へ登ってくるのが見えた。

懐機は唐営から、毎日のように首里城に登ってきた。彼には国相として、別館に執務部屋が設けられていた。その役所で、唐営役人とともに、進貢の往復文書を整理し、明国朝廷への進貢の表文（上奏文）や、シャム国への咨文《しぶん》、朝鮮王への書や同朝議政府《ぎせいふ》への咨文などを、尚巴志の意向を訊きながら起草するほか、王の相談役となり、国政への提案なども行なっていた。

首里城へ登ってくる時は、明国皇帝から授かった冠帯《かんたい》の、長史の正装であった。台謝へ登ってきた懐機は、静かに膝を折って、手をつかえた。

「おお、懐機――」

と、尚巴志は顧みた。

「きょうは、よく晴れて、慶良間島から、渡名喜、粟国まで、くっきりと見えますな」

と、懐機は手をつかえたまま顔を上げて目を遠くへ投げ、沖縄語で言った。

霞も晴れて、水平線まですっきりと見える。

眼下遠くの那覇の港には、進貢船なども点となって見える。

懐機は膝をついたまま、見渡した。彼ももう五十ほどになっていようが、髪も鬚髭も黒々としており、黒い太眉の下の眼光は鋭く、鰓《えら》ばった顎《あご》、がっしりした肩幅の広さなど、古中国の武将もかくやと思わせる武人の雰囲気をたたえていた。

誠実で礼儀正しく、尚巴志に対しては、心からの畏敬を払っていた。

大陸人らしく大柄な懐機は、思慮深くて寡黙《かもく》であり、尚巴志の前では、つねに腰を低くして頭《ず》を下げてかしずき、決して尚巴志より頭高《ずだか》にならないよう、気を使っている。並び立てば、大人と子供くらいの丈《たけ》となって、見映えでは主従逆転するので、不遜だと考えているのだ。一緒に歩く時も、やや腰をこごめ頭を前へ落すようにして、二、三歩後ろから従いていく。

「明国には、三山を統一したことを、報告せねばならないな」

尚巴志は眼下の那覇港を眺めおろしながら、かしずいている懐機に言った。

「はい。もう準備してあります」

「さようか。さすがに手回しが行き届いておるな」

尚巴志は笑顔で頷き、

「今、これからの琉球をどう切り拓《ひら》いていくかに思いを馳せていたところだ。進貢貿易は今のところ順調で、懸念《けねん》はないが、これからは南蛮、日本との通交にもっと力を入れねばならぬと思うのだ。朝鮮もな。琉球は海邦《かいほう》だ。海を駆けって、交易を広げていくほかない」

「はい、それこそ良策でございましょう。南蛮ですが、シャム＝アユタヤだけでなく、もっと先のジャワ、スマトラ、ゆくゆくはマラッカまで広げましょう。スマトラの三仏斉《さんぶっせい》旧港《きゅうこう》の管事官《かんじかん》殿には、昨年、お許しを得て、実達魯《したる》を使者に立て、私の名前で書を送りました。何事もなければ、実達魯は夏には帰国しましょう」

「無事に帰ってくるのを祈るばかりじゃな。何しろ未知の大海原を越えての長旅だからな」

「実達魯は荒海の航海も慣れていますから、何とか乗り越えて、無事に帰国すると思います。旧港管事官殿からどういう返事が来るか分かりませんが、これが通交のきっかけになれば幸いです。旧港と通交が開かれれば、次はジャワの国王に書を捧げて通交を開きましょう」

懐機はそう言って、懐から扇子を出し、敷石の埃《ほこり》の上に、扇子ですーっと線を引き、尚巴志がしゃがんで覗き込むと、懐機は線をなぞりながら、

「ここが、わが琉球、この線から向こうが大明国《だいみんこく》、大陸です。そして――」

と、扇子を戻して線を引いていき、

「南――このようにシャム国には行きます。それから――」

と、懐機は線をさらに南へ引いて、

「ここに、旧港、そして……」

と、横へ線を引いて、

「ここにジャワ国があります」

「うーむ、まさしく地の果てじゃな、いや海の果てか」

「はい、シャムまでが、順風にめぐまれれば、およそ四十日、旧港までは五十日はかかりましょう。ジャワへは旧港からさらに数日でしょう。文字通り、地の果て、海の果てです。常夏《とこなつ》の熱国です。それだけ、南海産物に恵まれております」

「しかし、地の果て、海の果てまでとは、まさに気宇壮大《きうそうだい》、海邦琉球の面目躍如たるものではないか。よし、わが琉球、南海を征《せい》しようぞ。あ、いやいや、いくさのことではない、南海を縦横無尽に駆け、通交して、南海の豊かな産物、南海の富をこの琉球に集積したいものだ。それは明国との進貢貿易、そして日本、朝鮮との貿易を膨らませることにもなろうからな」

「まことに、その通りでございます。南蛮の物産は、明国、日本、朝鮮でも皆、欲しがっていますから」

尚巴志は跪いている懐機の横に、胡坐《あぐら》をかいて坐り込み、顎鬚をしごいて、空を見上げ、

「まだまだ、やることが多いな。いや、真に琉球を開くのは、むしろこれからじゃ。老いてはいられないな」

「御意《ぎょい》……」

懐機は、天を仰ぐ尚巴志王の横顔を窺《うかが》い見た。

そして何か打たれるものがあったのか、見透かすように凝《じ》ッと見たが、

（………）

思いを呑み込むように、かすかに頷いて、何も言わず、王が見上げる天へ、彼も視線を投げた。

懐機は天師道《てんしどう》（道教）に帰依《きえ》していた。観相《かんそう》の知識、能力もあった。王の相《そう》に、何か不吉なものでも見たのであろうか。

尚巴志王はこの年、五十七になっている。

薄くなった髪も、鬚髭ももう真っ白であった。頬はふっくらとしていたが……。

16

去年――すなわち南山が滅びる前年の宣徳三年（尚巴志七年、一四二八）、懐機が旧《きゅう》港《こう》（三仏斉）への書を持たせて実達魯を派遣したというのは、次のような事情からであった。
――永楽十七年、旧港船が交易のため、南九州に来た。同船は内外の船舶の来着港と

なっていた博多を目指したが、北九州海域は海賊が出没すると聞いて、その難を避けるため、南九州薩摩領内に滞留した。

九州を管轄し、外交貿易も司っていた九州探題《たんだい》、渋川道鎮《しぶかわどうちん》（満頼）・義俊父子は、薩摩の豪族、阿多家久《あたいえひさ》に書を送り、南蛮船を博多に回航することを命じた。（阿多家久――本作品冒頭、源為朝を助けた阿多一族の末裔であろう。）

翌年三月、南蛮船は博多に出航したが、やはり海賊に襲われ、辛うじてこれを逃れ、博多に至って、道鎮父子に謁《えっ》した。

南蛮船一行は、旧港支配者の派遣した二十余人であった。

彼らの船は風波と海賊の襲撃のために、破壊されてしまったので、九州探題に、本国への護送を願い出た。

しかし、当時、日本では南海に船を進めたことがなく、また他の南蛮船の来航もなかったので、探題は二十余人の旧港人を、南海に通交しているという琉球に送り、旧港への転送を求めた。

琉球（中山王）は、旧港とは未だ通交がなく、従って旧港への航海に精通する火長《かちょう》（船長）がいなかったために、旧港まで送ることは出来ず、さりとて、遠人《えんじん》を長く留め置くこともできないので、シャム交易船でシャムに送り、シャム国から旧港に転送回国せしめる措置を取った。

この永楽十九年は、琉球では思紹王が没し、尚巴志が即位するという、慌ただしい時であった。そのこともあって、旧港人の回国を、シャムに預けたのである。

しかし、シャム国が、果たして無事に、旧港人を送り届けたか、旧港から何の便りも琉球にはなかった。

南蛮貿易の展開を考えていた琉球にとっては、信を問うことでもある。

で、宣徳三年十月、懐機は旧港へ、問い合わせの文書を持たせて使者実達魯を送ったのである。

実達魯はいったんシャムへ行き、旧港人の転送を確認してから、旧港に向かった。

読み下さず、懐機文書の原文を冒頭のみ紹介する。内容は、通交貿易の要請と、転送させた旧港人二十余人が無事に帰国したかを問うた内容である。

琉球国、王相懐機端粛奉書
舊港管事官閣下、自永楽十九年間准日本国九州官源道鎮送到……国王敬蒙。郎闘差令正使闍那結制等、駕使海虹一隻、已致暹羅国仍行乞爲転送。未知到否。今有本国頭目實達魯等……

原文はこんな具合で、難解なので省略するが、「琉球国王相懐機より旧港管事管閣下へ」という書き出しである。実達魯を小船（というのは謙遜）一隻に、磁器等の貨を積載して、交易を請《こ》わしめるにあたり、彼ら二十余人の安着の如何《いかん》も問わしめたのであった。

交易を開くに当たっての献上品は、素緞《そだん》五匹、鎖子甲《さすこう》（日本製の甲冑）二領、袞刀《こんとう》（青龍刀か）二柄、腰刀《ようとう》（日本刀）二柄、摺扇《しゅうせん》（日本製扇子）十把《は》。

日付は「宣徳三年拾月初五日奉書」とある。

三仏斉国はシュリーバイジャヤ王国という。旧港はその首都であり、施進郷《せしんきょう》という者が「旧港宣慰司《せんいし》」として統治していたが、彼が亡くなり、息子の施済孫《せさいそん》が父を継いで頭目《とうもく》となった。しかし彼もまもなく没したので、その二人の娘が頭目となった。

実達魯が、「琉球王相」懐機の文書を奉じて渡った時は、この女頭目が同国を治めていたのであった。

尚巴志と懐機が、首里城西端の台謝《だいしゃ》（物見台）で案じていた実達魯の船は、翌年六月、無事、帰国した。

旧港は琉球に対して寛容で、売買（交易）を許容し、財賦《ざいふ》・察陽《さつよう》らを御礼使として実達魯の船に同乗させた。同使者は奇物《きぶつ》（珍しい物産）を添えて旧港頭目からの返書を王相懐機に呈し、厚意《こうい》を示した。

琉球がシャムを介して転送させた旧港人二十余人は、無事に帰国したということで、琉球への書状は、お礼が遅れたことを詫びつつ、琉球の格別の計らいに感謝を述べていた。

琉球へ書を送った旧港女頭目二人の名は、

三仏斉国寶林邦本目娘《ほんもくじょう》（本頭娘《ほんとうじょう》とも）

三仏斉国寶林邦愚婦俾那智施氏大娘仔《ぐふひなちせしだいじょうし》――である。

「寶林邦」はパレンバンの音訳であり、かつパレンバンは旧港の音である。旧港はかつて同地を支配していたジャワからの名であった。

永楽五年（一四〇二）、陳祖義《ちんそぎ》なる広東人《かんとんじん》海賊が、罪を逃れてこの地に至り、占拠して、旅客を横掠《おうりゃく》していたので、大船六十二隻・兵二万七千八百という大船団でインドへ航海し、その帰途、スマトラに立ち寄った明国の鄭和《ていわ》が、訴えを受けて海賊の陳祖義一味を掃討、同地の豪族施進郷を宣撫使《せんぶし》（支配）に任じて治めさせた。

しかし、永楽十一年（一四一三）、三仏斉はジャワ・マジャパイト王国の侵略を受けてその管下となった。ジャワは同地を「旧港」と改称した。ただ、ジャワは海を隔て、またヒンズー国家のマジャパイト王国は、王族の内紛や、アラビア・イスラム商人の進出によるイスラム教の浸透、マレー半島マラッカの興隆などによって、国力衰微し、旧港の支配には手が回らず放棄した。

その旧港（パレンバン）は施氏が支配を続けていたのである。

その施氏三代目姉妹が、今の女頭目なのであった。

「本頭娘（本目娘）」は姉で、第一頭目の意であろうか。「大娘仔」は妹で第二頭目なのであろう。

懐機が書を送った「旧港管事官閣下」というのは、明国での呼称によるもので、懐機としては当然、三仏斉の頭という認識で送ったのであったが、管事官はあるいは女頭目ではなく、その任命による旧港統治官だったのかも知れない。

懐機は同使者らを手厚くもてなし、尚巴志王への謁見《えっけん》を取り計らった。

尚巴志王は使者らの衣服の立派なるを賞讃し、手厚く歓待した。

王は懐機に、礼物を備え、特に船を仕立てて、使者らを護送するよう命じた。

しかし、この年（宣徳四年）は、明国へ三船、シャムへ二船、そして朝鮮へ久々に一船を派遣したので、船隻の都合がつかず、使者の護送をかねた旧港行きは、結局来年（宣徳五年）ということになった。

宣徳五年十月十八日、琉球は旧港使者を護送しつつ、二使を派遣した。

二使は王ではなく、王相懐機の書を奉持《ほうじ》して、旧港へ向かう。このことにも、尚巴志王が懐機に、外交の全権を委ねていたことが分かる。

船は、十二月十一日、旧港に到着する。ということは、琉球から旧港まで、約五十日の航海だったということである。

地の果て、海の果ては、さすがに遠かった。

二使は歩馬結制《ぶまうっち》と、達旦尼である。達旦尼はどう読むのか。東恩納寛淳は「タタニ」で、後年北谷を吉達旦《きたたん》と造ったのもあって、「達旦尼」は吉達旦尼《きたたに》の吉（北）を省略した名であろうとしている。

その達旦尼は洪熙元年、尚巴志王冊封の謝恩使に立ち、前々年（宣徳三年）一月は、長史梁回に従って進貢した使者である。

懐機の書の一つは、三仏斉国旧港僧《きゅうこうそう》亞剌呉（アシゴ？）閣下（旧港統治顧問か）宛てで、これは歩馬結制が、もう一通は三仏斉国寶安邦《パレンバン》本目娘《ほんもくじょう》——すなわち女頭目《おんなとうもく》に宛てたもので、これは達旦尼が携えた。旧港使者から同国の事情を聴取した懐機は、書き分けたのである。

むろん漢文で、内容はほぼ似ているが、「三仏斉国本目娘」へという女頭目に宛てた書をざっと読み下して意訳すると、旧港人らが九州より回送され、旧港への護送を頼まれたが、貴国への航路を知る火長《かちょう》（船長）がなく、仕方なくシャム国へ送り、転送を頼んだことは「甚だ愧《は》ずる所あり」と述べつつ、しかし、前年の使実達魯への厚遇と、わざわざ謝礼使を遣わして「奇物」を賜わったことへの感謝を述べる。

そして今、達且尼らに礼物を持たせて差し遣わしたので、収納せられ、かつ交易を許して帰国せしめて貰いたい。今後とも「四海一家」として永く通交をしていきたい――と述べている。

懐機は歩馬結制に持たせた「旧港僧亞剌呉閣下」への書にも「四海一家」の言葉を添えた。「四海一家」はシャムとの通交でも、つねに使われる言葉で、まさに海邦琉球の心情を託したキャッチフレーズであり、シャムからの国書にも、この言葉が返しで使われていく。

旧港僧亞剌呉閣下への礼物は、馬二匹、閃色段《せんしょくだん》十匹、段五匹、羅《ら》三匹。

寶林邦本目娘への礼物は、閃色段三匹、青段二匹、腰刀二把であった。

歩馬結制、達且尼ら二使は、二か月半旧港に滞在、年明けて宣徳六年二月三日付で、旧港を発し、帰国の途に就いた。

女二頭目――寶林邦本目娘と妹の愚婦俾那智施氏大娘仔は、

《琉球王相懐機が旧港よりの礼物について、貶《へん》する事なく常に感謝して居る事は恐縮である。宣徳五年十月十八日付の王相懐機の書翰は同年十二月十一日旧港に着到した。琉球よりの書信を鶴首《かくしゅ》して待って居たが、今華翰《かかん》を得て喜びにたえない。琉球の仁政、好く治まり多福なるは、実にめでたい事である。三仏斉国王も、自ら船舶に便乗して琉球王廷に参拝したい程であるが、それが出来ないので今琉球船が貿易を終え西南季節風に依って帰国せんとするに託して礼物を委託し、琉球の往訪に応える。》（意訳＝安里延）

というような二通の書簡に、礼物として、紅花布・沈香・象牙・酒類――を贈った。

17

明国に対しても、同年（宣徳五年、一四三〇）進貢をかねた使者が派遣され、三山統一が報告された。

《我が琉球は三に分かれて百有余年、いくさ止む時なく、臣民は塗炭せり。臣巴志、悲嘆に堪えず、これが為、兵を発して、北に攀安知を誅《ちゅう》し、南に他魯毎を討ち、今、太平に帰し、万民の生を安んず。伏して陛下の聖鑒《せいかん》（鑑定）を願う。》

南山の滅亡、中山併合については、すでに見てきたところであるが、明朝に対しては、南の他魯毎は尚巴志が「討った」との報告である。

宣宗宣徳帝は、これを嘉《よみ》して、詔を下ろした。

《――爾《なんじ》、義兵を発して、また太平を致す。是れ朕《ちん》が素意《そい》（望み）なり。これより以後、終わりを慎しむ事、始めの如くにし、永く海邦を綏《やす》んじ、子孫を保つべし。欽《つつし》めよや。》

琉使に宴を賜わり、王に鈔幣《しょうへい》二万一千七百六十錠《じょう》を賜わった。

また同年八月、宣徳帝は、内官柴山《ないかんさいざん》と副使阮漸《げんぜん》を琉球に派遣、王に、金織《きんしょく》・紵糸《ちょし》・紗・羅・羢錦《じゅうきん》を賜わった。

柴山は三度目の来琉であった。この時、資を投じて、自らの数次に及ぶ航海の無事を仏光《ぶっこう》に感謝する意を込めて、波之上近くに大安禅寺《たいあんぜんじ》を建立した。

しかし、この三度目の柴山の来琉は、まもなく、尚巴志王を怒らせるものとなる。

柴山は前回、生漆《きうるし》と磨刀石《まとうせき》購入費の残額を琉球に預け、日本屏風・生漆・磨刀石を買い求めておくように言って帰国したのだった。

琉球側は残額をもって、柴山の指定品の購入のため、阿蒲察都《うふさと》らを日本に派遣した。

この宣徳五年冬、阿蒲察都らは、物貨を購入して帰国の途に就いた。

ところが――。

阿蒲察都らの船は、由魯奴島《よろぬしま》（与論島《よろんじま》）近海で大風に巻き込まれて転覆、七十余人が水死、貨物はすべて漂没してしまったのである。十二月二十二日のことである。生存者は三十余人。――阿蒲察都らは百人余で買い付けに行ったのである。

その悲報が伝わったのは、年明けて、生存者らの生還によってである。

王府は四月、この顚末《てんまつ》を三度目の来琉でまだ滞留していた柴山に報告したが、柴山は遭難への同情より、残貨の調達を求めた。で、琉球内の生漆・磨刀石・屏風などをかき集めて、柴山らの船三隻に積み込んだ。何と柴山は三隻で来たのである。「勅使」なので、随員が百人余を越えていたこともあるが、何より、大量の物貨積載のためなのだ。

しかし、三隻に積み込んだ物貨は、残額分にはほど遠く、柴山は不満を言い募る。

これに、尚巴志王は怒ったのである。

「こちらは精一杯の努力をしたのだ。海難は天運である。それに七十余人という国人を犠牲にしたのだ。このことへの思い遣りもなく、なお物貨で不平を鳴らすなど、もってのほかというべきである」

と、懐機、模都古ら側近に、憤懣《ふんまん》を洩らし、

「明国朝廷では、内官（宦官《かんがん》）が、私服を肥やし、威をふるっているとも聞くが、勅使殿（柴山）もその類《たぐい》であろうか。来るたびに、しきりに、生漆や磨刀石、屏風を求め、あたかも朝廷の買い付けのように言っているが、恐らく、勅使殿の私服を肥やす私貿易

であろう。何度も重ねて琉球へ渡って来るのは、琉球を儲けどころと見ているからだろう」

とまで、断じるように言い、

「勅使を申し出れば、明帝も拒めぬほどに、朝廷での権を持っているからであろう。何しろ、彼は永楽帝から評価されていたというし、内官たちに、それなりの影響力があろう。宣徳帝は登極して間もないから、内官たちに従っていようからな」

と、これも見抜いたように言う。

「大安禅寺の普請《ふしん》も、自財を投げ出したように仰っているが、朝廷の費用ではあるまいか。そもそも、大安禅寺も、琉球のためというより、自らの航海の無事に感謝する私寺ではないか。麗々しく碑記《ひき》まで建てたが、その内容は自らの航海への仏の加護への感謝のみだ」

とまで言い切った。尚巴志王は懐機の影響で道教に帰依《きえ》していたこともあって、大安禅寺に関しては、辛辣《しんらつ》であった。

畏れ多くも、明帝勅使なので、懐機は何も言わなかったが、同調するように、かすかに頷いたことである。

「こちらは、明帝の勅使ゆえ、常に頭を垂れざるを得ない。それをよいことに、専横《せんおう》、傲慢な振る舞いで、あたかもこの琉球を己の下僕《げぼく》のように見下《みくだ》しておるんじゃ」

何よりも、尚巴志王にはそのことが、我慢がならないのだ。

「…………」

「…………」

懐機も、模都古も、何も言わずに、頷いた。彼らも柴山には手下のように見下されているのだった。

もっとも、憤懣があるからとて、進貢貿易は明帝の情けに縋って行われているのであり、面と向かって、勅使とやり合うことはできない。

「残りの分は、さらに収買を進めておくように――」

柴山はこう命じて、帰国していったが、またそれを受け取りに、「勅使」としてやって来るつもりなのだろうか。

尚巴志王は、帰国する柴山一行とともに、唐営長史の郭祖毎と使者益沙毎を遣わし、南蛮産の金酒梅《きんしゅばい》・金酒瓶《きんしゅへい》・金香盒《きんこうごう》、日本の屏風・刀剣、琉球の磨刀石・螺殻《らかく》・硫黄・馬などを朝貢した。

それは、尚巴志王の柴山に対する〝嫌味《いやみ》〟でもあった。琉球は筋道の通った朝貢をきちんとやっているのであり、個別的な収買に右往左往することはないと、柴山への当て付けのような朝貢をなしたのである。

これによって、柴山の「残額分」は、不問に付されることになった。

そして――。

尚巴志王の柴山排撃《はいげき》は、ある事件をもって、決然となされるのである。

話は少し戻るが、南山が滅びた宣徳四年（尚巴志八年、一四二九）――。

朝鮮は世宗十一年である。その八月十五日、琉球人包毛加羅《ほもから》ら十五人が、江原道蔚珍《こうげんどううっちん》（現在の慶尚北道蔚珍郡）に漂着した。

この報は朝廷に届き、朝廷は命じて京《きょう》（漢城＝ソウル）に駅送《えきそう》させた。主要な道路には駅が置かれ、公用の馬匹《ばひつ》を備えていた。その駅馬で、十五人はソウルへ護送されたのである。

そして外国人用の宿泊施設に収容され、接待を受けた。これを「館待《かんたい》」といい、琉球人らには衣と靴も支給された。

八月二十八日、礼曹《れいそう》は王（世宗）に報告した。

「琉球国の飄風《ひょうふう》の人は、送還するか否か、政府は、諸曹《しょそう》とともに協議しましたが、皆は、本人たちがもし留居《りゅうきょ》を欲すれば、慶尚の沿海に住まわせ、衣糧《いりょう》・土田・穀種《こくしゅ》を官給《かんきゅう》し、業《ぎょう》につかせて安《やす》んぜしめるべし。本土に還《かえ》るを欲すれば、船を準備し、糧餉《りょうしょう》（食糧）を給し、倭客《わきゃく》（日本人）に委嘱して送還せしめる、ということに決しました」

「それでいいだろう」

と、王は頷いたが、間もなく、琉球人らのうち、理馬加羅《りまから》なる者が病没した。遭難の疲れからであろう。

九月六日、礼曹は王に、琉球人葬儀のことを報告した。

「協議の結果、棺《かん》および紙二十巻を給し、漢城府《かんじょうふ》（ソウル政府）をして香徒《こうと》を集めて収《しゅう》葬《そう》し、標を立て、掩壙《えんこう》の奠《てん》を設けしめよということになりました。よろしいでしょうか」

「それでよい」

と、王は了承した。紙二十巻とは葬儀に焼く紙、香徒は柩《ひつぎ》を載せた輿《こし》を担ぐ人夫、掩壙は墓穴を土で掩うことである。手厚く葬ったのである。

しかし、亡くなった理馬加羅を含む十五人は、ただ漂着して救助されただけではなかった。

彼らは、漂着したところを、賊（倭寇）と間違えられ、現地の役人、兵らに攻撃され、矢を浴びたのである。多くが射殺されたと見え、十五人は擒《とりこ》にされた者たちであった。

理馬加羅の葬儀の八日後、九月十四日に、兵曹から報告があって、このことが判明するのである。

『李朝実録』に、そのことが載っているが、

《江原道守山裏の万戸《まんこ》張弘道、琉球国の人七名を擒《とら》う。判蔚珍県事《はんうっちんけんじ》金益祥、八名を擒う。爵賞《しゃくしょう》を加うるを請《こ》う。》

江原道守山裏というのは蔚珍県の守山川のことと思われる。万戸は諸鎮《しょちん》の武官、判《はん》は各県の長官（県事、県令）である。

漂着琉球人らは、「賊」として彼らに襲われ、守山浦で七名、さらに蔚珍で八名、擒《とりこ》にされたのである。バラバラに漂着したのであろう。

兵曹は彼らを擒にした万戸の張弘道、蔚珍県事の金益祥に、「賊」をとらえた功労に対し、位階と褒賞を請うているのである。

王は了承した。

しかし、その十日後の九月二十四日、官吏観察権をもっている大司憲《だいしけん》（司憲府首職）金孝孫は、このことを調べた結果、次のように上疏《じょうそ》した。

《――今、琉球客人、海上に阻風《そふう》せられ、困餓《こんが》して岸に依《よ》る。兵器もなく、その持参するものはわずかな米に過ぎず。賊船に非ざるは明白なり。

判蔚珍県事の金益祥、守山浦副万戸張弘道らは、先を争いて射中《しゃちゅう》し、もってその能《のう》（活躍）を誇る。人にして仁《じん》ならざること、此れより甚《はなは》だしきは莫《な》きなり。

臣等《しんら》以爲《おもえ》らく、妄《みだ》りに人命を殺す者は、もとより罪すべし。褒賞の典《てん》、又何ぞ加えん

や。伏して望む、殿下《でんか》、賞賜《しょうし》の命を還収《かんしゅう》して、以て盛代《せいだい》の賞罰の権を明らかにされよ》

どうやら、金、張らは功績を争って、漂着の琉球人らを襲い、「射中」というから弓で射て、文中から推察すると、その武威を誇って何人か射殺したと見える。このことを弾劾し、爵賞を取り消してほしいと願っているのである。

《賞罰は人主《じんしゅ》王の大権《たいけん》なり。賞は以て僭《せん》すべからず、刑は以て濫《らん》すべからず、賞罰其の中を得て然る後勧懲《かんちょう》（勧善懲悪）の道立つ》

と、前置きしての、正義感に燃えた上疏であった。

しかし、王はこれを受けなかった。いったん、王として与えた褒賞は絶対的なものであり、それを取り消すこと自体が、「人主の大権」を犯すということであったろう。

それでも、司憲府《しけんふ》第三位官の掌令《しょうれい》、張修はまた、

「飢困《きこん》して岸に依る人たちに、先を争って射中する者どもに、何の功あって賞すべきや」

と、敢えて上疏した。

ここは司憲府の確固たる姿勢を示したのである。

これに対して、王は、『書経《しょきょう》』など中国の聖訓故事《せいくんこじ》を引き出して答えた。

《功の疑わしきは惟《こ》れ重くせよ、と明らかに聖訓有り。且つ古《いにしえ》、死馬《しば》を買いて生を致

す者有り。今、予の嘉賞《かしょう》する者は、以て後来《こうらい》を激《はげ》ますなり。》

――功績の大小不明の時は大功の格に従って賞せよとの聖訓（書経）がある。また良馬を求めんとして死んだ名馬の骨を五百金で買い取ったことで、千里の馬を得ることが出来たという故事（『戦国策』）から、賢者《けんじゃ》を招くにはまず眼前の凡人《ぼんじん》を優遇すれば、賢者は自然に集まるであろうとのたとえを挙げている。――隗《かい》より始めよ、である。

朝廷におけるこの問答から五日後の九月二十九日、琉球国人の包蒙古羅（前述の包毛加羅の異字）ら十四人が辞するにあたって（結局、彼らは帰国することになったのである）、王は命じて、とくに送別の宴を開かせ、礼曹は「琉球国王府執礼官《しつれいかん》」宛ての書を託した。

琉球の王府執礼官とは、王政を仕切る法司《ほうし》（後年の三司官《さんしかん》）のことである。このころの法司は進貢使などもつとめてきた模都古《もとく》（真徳）である。また唐営長史で「王相」となっていた懐機も、尚巴志王の絶大な信頼を得て、積極的に、国政に関与していた。

朝鮮礼曹からの書は次の通りであった。

《本国と貴邦《きほう》は海を隔つれば未だ嘗《かつ》て嗣音《しおん》せず。今、貴国の人包蒙古羅等、船に乗りて颪に遭い、飄《ひょう》して本国に至る。謹んで以て啓聞《けいぶん》するに、我が殿下《でんか》（王）深く憐恤《れんじゅつ》を加え、攸司《ゆうし》をして館待《かんたい》せしめ、仍《よっ》て衣糧等の物を給して発回《はっかい》せしむ。》

「未だ嘗て嗣音せず」——すなわち音信を続けることなしというのは、世宗の即位年（一四一八）に「琉球国王二男賀通連」が派遣した使者以来、十一年も通交が途絶えていることを言っているのである。

その年にもう一隻の琉球船は難破して七十四人が溺死、多数の傷病者を出す不幸があって、これがこたえて、琉球はしばらく使者を派遣できなかったのである。

朝鮮礼曹は、書を日本西海道《せいかいどう》、日向・大隅・薩摩三州の太守藤貴久《とうのたかひさ》（島津貴久、島津氏は藤原姓を称していた）に致し、

《琉球国の飄風《ひょうふう》の人包蒙古羅等十四名、本国に回還《かいかん》するに貴境《ききょう》を経由す。冀《ねが》くは船を撥《はっ》して護送せられたい。》

と、添え文している。

包蒙古羅らが朝鮮に派遣された記事は琉球の史記には見えないが、彼らは博多経由で朝鮮へ向かったようである。しかも、包蒙古羅らは、どうやら琉球人ではなく、別表記「望古羅」で、琉球使者を委託された「倭人」だったと思われる。

琉球船は遭難や、海賊（倭寇）のために、朝鮮通交を、倭寇まがいの博多など九州の海商に委ねようとしていて、「倭人望古羅」はそのために琉球に渡ったもののようである。

包蒙古羅らが朝鮮から帰国の途に就いた二、三か月後の十二月三日、足利義教の将軍

嗣《しい》位を賀し、前将軍義持を弔慰するために前年、通信使として来日した朴瑞生《ぼくずいせい》が、朝鮮に帰国して報告を行なっているが、その中に、朴らが博多に到った時、琉球国より来た「倭人望古羅」なる者に会った。

「望古羅」と「包蒙古羅」が同一人ならば、江原道に漂着した包蒙古羅らは、朝鮮に行くために、博多に寄っていたのである。

琉球から来て博多に滞在していた「倭人望古羅」は、朴に次のように言った。

「貴国の被虜人、近頃、飢饉により懐土《かいど》（帰郷の念）すること益々切なり」と。

琉球は饑饉に見舞われ、その国の国王（尚巴志）、米を我が国（朝鮮）に乞うため、歳丁未《ひのとひつじ》（宣徳二年、一四二七）六月、刷還《さっかん》すべき被虜人五十余人を同乗させて船出の準備をしていたが、逆風のため、未だ発せずにいたとき、たまたま国に乱があって、結局、行くことを断念したという。

この「乱」というのが何だったのか不明である。南山のいざこざがあったのかも知れない。

しかし、この「倭人望古羅」の話は、重要な最新情報を伝えている。

宣徳二年といえば、南山が滅びる二年前だが、琉球は大飢饉に見舞われたのである。

それで、尚巴志王は、九州を越えて、朝鮮にまで米を求めに使者を派遣しようとしていたのであった。

このことも、王府史記には出ていないが、あるいはこれが、南山滅亡の決定的な要因になった可能性がある。

尚巴志王は米の確保に、総力を挙げたが、南山の他魯毎王はそういう努力もせず、飢えに苦しんでいた南山の按司たちは、無策な他魯毎王に愛想をつかし、見限ったということも考えられるのである。

朝鮮通信使、朴端生の報告には、そういう歴史の決定的なことが、織り込まれていたのだった。

だが、それはさておき、倭寇に囚われて琉球に売り飛ばされていた朝鮮被虜人たちの困窮、その切々たる懐土の情を知った朴は、側にいた司正《しせい》藤次郎に、

「あなたが琉球へ行って、被虜人たちを刷還してはどうか」

と、勧めた。司正藤次郎というのは、朝鮮から官職を与えられた日本人である。司正は朝鮮の五衛の官職で正七品。

「もし上命《じょうめい》を蒙《こうむ》らば、必ず行きましょう」

と、藤次郎は答え、朴は、

「ぜひ頼む」

と、伏して頼んだ。

包蒙古羅らが朝鮮で手厚く保護され、かつ朝鮮でも最後まで彼らを「琉球国人」として扱っているところを見ると、足利幕府への朝鮮通信使朴瑞生らが博多で会った「倭人望古羅」と、「琉球国人」包蒙古羅は別人だったかとも思われるが、同一人だが、倭人が琉球王の使者を偽って朝鮮にやって来るのを、朝鮮側では警戒していたために、包蒙古羅らは本当は倭人ながら、朴瑞生が言っているように琉球を行き来していて、それで使者を委託されていたために、最後まで「琉球国人」を通したとも考えられる。

そして、彼らは朝鮮礼曹から託された琉球国王宛の書を奉じて、再び琉球に向かったのではあるまいか。

朴瑞生の帰国報告には、被虜朝鮮人の情報のほかに、朴の従者、司訳院《しやくいん》（通訳、翻訳の役所）生徒李生《りせい》が、琉球の産物について述べている。「倭人望古羅」から得た情報であろうが、この時代の琉球の産業の一端を知ることが出来る。

李生は言う。

《甘庶《かんしょ》は味甜美《あじてんび》、これを生食《せいしょく》すれば人をして飢渇《きかつ》を解かしむ。又、煮て沙糖《さとう》を爲《つく》る。琉球国は江南《こうなん》より多く得て之を種《う》うる。また、薯蕷《しょしょ》（薯《いも》）有り。大なるものは柱の如く、小なるものは椽《とち》（垂木《たるき》）の如し。亦《ま》た南蛮《なんばん》より得て之を植うる。》

薯蕷というのはサトイモであろう。これは東南アジアから取り寄せて植えた、と。

「これらの産物を取り寄せて、その種を（朝鮮にも）広めてはいかがでしょうか」

と、朴瑞生は提案した。

琉球の当時の産業、風俗は、やがて漂着朝鮮人たちの見聞録で、より具体的に語られていくが、この段階では、片鱗ながら、貴重な証言といえる。

18

だが――。

海邦琉球は「万国津梁」の気概の陰で、海を乗り越えていくことの苦難を、さらに味わうのである。

「包蒙古羅」事件のその年の暮れ、中山の阿蒲察都《うふさと》は前に見たように、日本から磨刀《まとう》石《せき》（砥石）等を仕入れて帰国途中、大風に遭い、由魯奴《ゆろぬ》（与論島）近海で遭難する。

これは、前々年（宣徳三年）明国から三たび来琉し、王に、明国皇帝からの金織《きんしょく》・紵《ちょ》糸《し》・紗・羅・羢錦《じゅうきん》などの織布を下賜した内官の柴山《さいざん》が、生漆《きうるし》と磨刀石を求めたが、琉球ではわずかな産出しかないので、全額を賄《まかな》うことができず、王府は日本から求めるべく、一千七百十七貫を預かり、阿蒲察都らを買いに行かせたのである。

その阿蒲察都の船が遭難したのである。船は沈没し、七十余人が水死、三十余人は岸に泳ぎ着いて助かった。貨物は全部失われた。（使者の阿蒲察都も助かり、彼は翌年九月、明国への進貢使となった。）

しかし、またその翌年——宣徳六年には、梁蜜祖《りょうみつそ》を使者とする進貢船が、逆風で沈没し、乗組員も全員水死した。朝貢品の馬二十頭、硫黄一万斤、不搭貨物《ふとうかもつ》（貿易品）類も全部失われた。

水死者の人数は不明であるが、進貢船には二百人内外も乗り組むのは常であって、彼らが全滅したのだ。

大飢饉を乗り越えたばかりで、この遭難である。

この二つの遭難で、海邦琉球の交易を担った者たち多数——おそらく二百人内外が海に呑み込まれたのであり、大きな打撃を蒙ったのである。

相次ぐ悲報に、尚巴志王も、頭を抱えたことであった。

「交易国家を目指したものの、海を乗り越えるのは、容易くはないな」

と、さすがの尚巴志も、弱音を吐く。

「されど、これを乗り越えて、琉球は海へ乗り出すしかないのです。海邦の宿命というものです」

国相懐機は、老齢も加わってか、その剛毅さが失われつつあるかに見える尚巴志王を励ましつつ、明国、南蛮、朝鮮、日本への公文を書く――。

宣徳六年（尚巴志十年、一四三一）には、室町幕府との通交を積極的にはかるべく、緞子《どんす》四端、繻子《しゅす》四端、それに南蛮貿易で得た沈香《じんこう》二俵を贈る。

足利＝室町幕府は、前々年の永享元年（宣徳四年、一四二九）、義教《よしのり》が第六代将軍となり、その襲位慶賀の進献《しんけん》であった。

一方、この年六月には、夏礼久《かねく》・宜普結制《ぎぶうっち》を正副使として朝鮮に派遣、王に、蘇木二千斤・明礬《みょうばん》百斤を献上した。

さらに、シャムには二船を送った。九月九日には由南結制《ゆなんうっち》（通事鄭智）、同月三十日には歩馬結制《ぶまうっち》（通事梁徳伸）。

これらの派遣は、懐機が取り仕切った。北へ南へ、琉球船は大海を乗り越えていく――。

ただ、南蛮シャムとの交易は、理想的に進んだのではなかった。

洪熙元年（尚巴志四年、一四二五）、尚巴志王がシャム国王へ送った咨文《しぶん》（漢文で懐機によるものであろう）は、貿易における琉球への〝迫害〟同然の仕打ちへの苦情をつのらせたものであった。

これは「近頃」シャムに派遣した使者佳其巴那《かきはな》（通事梁復）の報告によるとして、貴国とは自由な貿易を展開してきたのに、永楽十七年（思紹十四年、一四一九）、阿乃佳《あらかー》らが三隻を率いてシャムに至り、奉献の事を済ませ、貿易を行なって帰国しようとしたところ、貴国の所在官司《しょざいかんし》（貿易担当官吏）が、シャムにおける貿易がすべて官営であることに鑑み、琉球からの礼物が少ないとして、その埋め合わせに、貿易の目玉である大量の中国製磁器類を官買《かんばい》と称して安く買いたたき、また琉球が買い入れる蘇木・胡椒類はシャム商人の私売を許さず、すべて官売となし、関税をかけて高く売りつけ、琉球は多大な損失を蒙った。

礼物が薄いというから翌年（永楽十八年）から礼物を加増したが、貴国の対応は変わらず、むしろ所在官司の官買売の弊害はさらに甚だしく、乗組員の旅費も欠乏し、ために、乗組員も行くのを渋っている有様で、永楽二十二年はついに船隻派遣を中止せざるを得なかった。

顧みれば、洪武以来、察度王・武寧王・思紹王の代まで毎年、貴国と通交し、親善友好を深めること多年に及び、互いに音物《おんぶつ》なども交換して貴国の親愛を蒙り、四海《しかい》以て一家なるの情誼《じょうぎ》を重ね、遠人《えんじん》を寵愛《ちょうあい》し、貿易についても官買売もなかった。このことは有難く感じているところである。こうした以前に照らし、遠人航海の労を憐れみ、磁器の官買を免じ、また蘇木・胡椒等の自由貿易を許容して、帰国せしめて貰いたい。

礼物目録は「今開く」として示されるが、次の通りであった。

織金段《しょくきんだん》五匹　素段《そだん》二十匹　硫黄三千斤　報《ほう》二千五百斤
大青盤《だいせいばん》二十個　小青盤四百個　小青碗《しょうせいわん》二千個
腰刀《ようとう》五柄　摺紙扇《しょうしせん》三十柄

佳其巴那は阿乃佳の翌年、永楽十八年にシャムに渡航して、阿乃佳の事情を知り、それで礼物の加増を王府に願い出て、十八年以降は硫黄、日本製の腰刀、摺紙扇などが加えられたのである。

佳其巴那は永楽二十一年か二年に通事梁復とともに二度目のシャム使をつとめたが、咨文は洪熙元年となっているので、この咨文は彼が帯行《たいこう》したものではなく、洪熙元年の使者が持参したのであろう。

洪熙元年には、浮那姑是《ふなこし》・阿勃馬結制《うばまうっち》がそれぞれ正使として咨文を帯行し、二隻でシャムに渡った。

阿勃馬結制……読者は覚えておられるだろうか。

永楽十三年（思紹十年、一四一五）十一月、中山の進貢使者一行が朝貢を済ませての帰り、乗組員が福建の港で事件を起こした。福建の船を奪い、官軍を殺し、中官《ちゅうかん》（宮中官）を殴傷《おうしょう》してその衣服を奪った。

永楽帝は激怒し、進貢正使直佳魯《まかる》を責任者として斬首相当、副使阿勃馬結制以下乗組員六十七人も同罪で死刑相当と断じ、しかし処罰は中山王に委ねるとして強制送還扱いで帰国させられた。

思紹王・世子巴志がどのように処置したか不明だと、前に述べたが、どうやら阿勃馬結制は罪を免ぜられて復権したようであり、去年（永楽二十二年）は南山の進貢使者となり、そして今年はシャムに派遣されたのである（同名別人の可能性もないではないが）。

一行はシャム・アユタヤ朝廷に、礼物を献上した上で、蘇木・胡椒等を収買して翌年帰国している。恐らく、佳其巴那の報告に基づく自由貿易要請の咨文は、浮那姑是か阿勃馬が帯行したのであろう。

洪熙元年の咨文以降、シャムの官貿易に対する琉球の不満の文言は咨文には見えないから、緩和されたのであろう。

しかし、自由貿易を要請した咨文から四年後の宣徳四年（尚巴志八年、一四二九）――折しも琉球では南山が滅びた（中山に併合）年であるが、同年秋、南者結制と有南結制らがシャムに派遣され、翌年帰国した。

彼らの報告によれば、シャムに至って礼物を奉献すると、シャムの所在管事頭目《かんじとうもく》は、官買と称して磁器等を略奪同然に没収し、不当な査定で値切られて価銭《かせん》は極少となり、しかもその支払いも遅れ、大きな損失を蒙ったのであった。

この大損《おおぞん》のため、派遣使臣、乗組員らの手当ても減ぜられ、乗組員らは以後の派遣を固辞して、シャムへの航行を承知しない。ゆえに、宣徳五年のシャム派遣は見送られた。

同年は十月に南者結制がジャワへ初通交、歩馬結制と達且尼が三仏斉（旧港＝パレンバン）へ行ったが、歩馬結制が翌宣徳六年帰国しての報告によれば、旧港でシャムの商船と交流し、彼らの話では、前年、シャムで琉貨を強引に——というより略奪同然に収買した在所管事頭目は、シャム国王から厳しく譴責《けんせき》され、罷免《ひめん》されたという。

翌宣徳七年、尚巴志王は郭伯茲毎《はちみー》（鉢嶺）をシャムに派遣して、ほころびるシャム交易の修復をなさしめた。

尚巴志王の咨文は、

《——今、貿易のために伯茲毎を遣わすから、互いに通交の礼儀を守り、宜しく貴国政府で琉貨の買い占めを行なうことを免じ、蘇木、胡椒等を自由に売却せしめられたい。それを以て、翌年の大明国への進貢品に充《あ》てたいと思う。》

尚巴志王は「大明国」を振りかざして、自由貿易を訴えたのである。琉球に対して、搾取的な貿易をやっていると、大明国への朝貢に影響が出るぞ、琉球はこのことを、大明国に報告するであろう、と遠回しに脅したのである。

シャムも明国への朝貢国である。大明国皇帝に、シャムの琉球いびりが聞こえたら、シャム国王は必ずや咎められるであろう、と。

この「大明国」の名を出しての言外の脅しは効いた。以後、琉球が不利になるような官売買はなくなった。

このように、シャム交易は、通交停止という実力行使も決行しながら、進められていったのである。シャムとの交易は、琉球にとっては、南蛮貿易の柱だった。明国進貢、日本交易、朝鮮通交に、蘇木、胡椒をはじめとする南蛮物産は欠かすことが出来なかったからである。

シャムにとっても、琉球船は、大量の明国陶磁器類に加えて、日本・朝鮮の産物も積んでくるので、大いに歓迎すべき交易相手であった、シャム＝アユタヤは、南蛮（東南アジア）諸国から西域にかけて、当時の国際交易の拠点として、栄えていた貿易国だったからである。

宣徳六年（尚巴志十年、一四三一）、尚巴志王は明国へ、さまざまな下賜品への謝恩や慶賀、進貢など、実に十船十使を派遣する。

三月に三船三使、四月に一船一使、九月に六船六使である。

明国との間には、おびただしい数の人々の海洋往還があったのである。この宣徳六年は一年で、延べ千人余にのぼったのではないか。

九月の使者漫泰来結制《まぬたいうっち》（通事林恵）には、船が壊れたとして船隻支給を願い出た。宣徳帝はただちに工部に命じて、福建船の一隻を支給し、翌年帰国させている。日本、南蛮に通じた琉球は、最恵国《さいけいごく》の待遇が続いていた。


宣徳七年、明使の柴山《さいざん》が来琉した。柴山は四度目の来琉である。柴山は宣徳帝から尚巴志王への衣服文綺《いふくぶんき》を下賜しつつ、日本招諭《しょうゆ》の仲介を尚巴志王に依頼する宣徳帝の勅書を持参してきていた。

諸国が明朝へ朝貢してくる中で、ひとり日本だけが来貢《らいこう》がないので、琉球王は日本へ使者を派遣して、日本幕府を招諭せよ、というものであった。

日本は、金閣寺を建設し、北山文化《きたやまぶんか》を開いた足利三代将軍義満《よしみつ》が、引退後、応永八年（建文三年、一四〇一）、明に使者を派遣して明皇帝の冊封を受け、明との勘合貿易を展開したが、義満を継いだ義持《よしもち》は、父義満の死去（一四〇八）後、亡父への反発や、日明貿易が明朝への朝貢形式なのを嫌って、日朝貿易を停止、明との国交を絶った（永楽十七年・応永二十六年、一四一九）。

その断交から十三年、足利＝室町幕府は六代義教の時代となっていた。

尚巴志王はさっそく日本へ使者を派遣して、明国皇帝の勅書を、幕府に伝達した。

この招諭により、翌宣徳七年、日本は永享四年（一四三二）、足利義教は、兄義持によって停止されていた明国との通交（勘合貿易）を、再開したのである。琉球は明国と日本の通交の中継をなしたのである。

永享八年（正統元年、尚巴志十五年、一四三六）、「よのぬし」すなわち尚巴志王への足利義教の書状が届く。それには、

《まいねんふねをも人もあまた（わた）さるべく候》

とあって、親交を深め、ひんぱんに貿易を展開していたことをうかがわせている。

宣徳七年、四度目の来琉で、日本招諭の仲介を琉球に依頼した明使柴山は、王に宣宗宣徳帝からの勅書をもたらし、衣服文綺を下賜したが、この来琉でも、柴山はまた二千貫で、屏風・扇・腰刀・生漆などを購入しようとしていた。彼の滞琉は翌宣徳八年に及ぶ。

この来琉で、柴山は先年、費を投じて建設した大安禅寺《たいあんぜんじ》の境内に、千仏霊閣《せんぶつれいかく》（天妃宮《てんぴぐう》）を建立し、碑を建てた。しかし、その碑記も、自身の度重なる渡海に対する天地《てんち》

龍神《りゅうじん》の加護への感謝を述べ、それに報いるために弘仁普済《こうじんふさい》（航海安全の神天妃に与える号）の宮を重修し、高楼を建てて、その恩に報いる――というものであった。

宣徳五年の暮れ、彼のために日本へ物貨を仕入れに行き、与論島沖で大風に見舞われて沈没、七十余人が水死した遭難の犠牲者を悼むような文言はなく、ただ自己の〝幸運〟に感謝する言葉しかない。尚巴志王が怒ったのは、このことである。

しかし、それだけではなかった。

柴山が持参した「日本国王」（室町将軍）への宣徳帝の勅諭は、琉球国王尚巴志が転送することになっていた。そして生漆や磨刀石など購入物貨は柴山の船に載せて、次年――永享六年（宣徳九年、一四三四）五月一日に送る予定であった。

尚巴志王は、彼の購入する物貨に懐疑的《かいぎてき》であったが、目をつぶった。

しかし、尚巴志王が転送することになっていた勅書について、柴山は自ら日本へ行き、日本国王と談判すると言い出したのである。

王府は、正琪《せいぎ》（受林とも）なる渡来の日本僧に、勅書の転送を依頼することにしていた。要路に通じた名のある高僧で、琉球に渡来して王府に重くもちいられていた。

ところが、その僧正琪が、八郎なる奴婢《ぬひ》（正琪の使用人）に謀殺されるのである。八郎の言い分では、正琪が八郎の妻と姦通したというのであった。

八郎は、王府の追及を逃れるべく、明使柴山の宿館《しゅくかん》に逃げ込み、匿《かくま》われた。そして、柴山は、自ら日本へ行くという前言を翻《ひるがえ》し、八郎を帯同して、同年六月二十四日、急ぎ帰国したのである。

何ゆえに柴山が八郎を匿い、帯同して帰国したのかは不明であるが、琉球が宣徳帝より足利義教への勅書を託そうとしていた僧正琪の謀殺に、何やら柴山が関わっていたようである。勅書は自分が日本へ持って行くと言っていたのだ。八郎を使って僧正琪を殺したのだ。そうでなければ、八郎が正琪を殺してすぐ柴山の公館に逃げ込み、保護されるはずはないからである。

僧正琪謀殺が、八郎の妻との姦通というのは、でっち上げであろう。

尚巴志王は激怒して、同年八月、進貢使者をして、事件の顛末を明朝に報告し、真相究明と、八郎の送還を宣宗宣徳帝に求めた。

八郎の北京での供述は、次のようなものであった。

――琉球船で中国貿易のため、日本の国書を明使柴山に託そうとしたところ、尚巴志王の怒りを買って正琪が殺されたため、自分は柴山に救いを求めて、当地に到った、と。

宣宗はその言を信ぜず、大臣に審問させ、また泉州柔遠駅に滞在中の琉球使臣の李敬《りけい》（通事）を召喚して詢問《じゅんもん》させ、その結果、八郎を錦衣衛《きんいえい》に送致して、処断せしめた。八郎の偽証を断じたのである（どういう偽証なのかは不明である）。

一方、柴山は罪人を匿い、帯同したこと、及び、琉球滞在中、琉球王府との約定《やくじょう》を度々破るなどの勝手な行動があったとして、治罪を命ぜられた。治罪は罪を調べ直す詮議《せんぎ》の意である。

琉球王府との約定をたびたび破るなどの勝手な振る舞い——ということに、彼の勅使という特権をかざした、傲慢さが示されている。

以後、柴山がどうなったか、その記録はないが、柴山の失脚が、琉球での振る舞いを巡ってのことであり、尚巴志王の告発が、それを促したのであろう。

（思い知ったか）

と、尚巴志は柴山へ、心の中で投げ付けていたのではあるまいか。琉球を支配者気取りの大国官僚の、私腹を肥やす利権の場にはさせぬぞ、と。

19

官売買による〝収奪〟で損失を蒙り、宣徳五年（尚巴志九年、一四三〇）から中断していたシャム交易も、琉球の抗議によって改善され、宣徳七年、三年ぶりに再開された。

宣徳七年は九月に二船、八年は三船、九年は二船と、シャム交易はさしたるトラブルも、中断もなく進められた。

一方、朝鮮との通交は、海路遠隔にして、また海賊（倭寇）も出没するので、このころには博多や対馬船などに依頼し、便乗したり、代理派遣するようになったが、世宗十三年（宣徳六年）には、尚巴志王は琉球に来た対馬の豪族、早田六郎次郎《そうだろくろうじろう》の船に、夏礼《かに》久《く》、宜普結制《ぎぶうっち》を正副使として同乗させて派遣した。

六郎次郎は、朝鮮貿易では対馬島主宗氏《そうし》をしのいだ豪族、早田左衛門太郎の子で、早田一族の跡取りであった。

早田船は慶尚道乃而浦に来泊し、九月九日、礼曹は、もし同乗してきた者らが琉球国王の使人ならば、日本国王の使臣の例によって入京せしめ、私的な交易ならば、諸島の客人の例によるべし、と答申し、王はこれに従った。琉球王使者を騙《かた》って、交易しようとする日本商船も出てきていたので、朝鮮の対応は慎重であった。

夏礼久、宜普結制らは、まぎれもなく、琉球国王の使臣と分かり、礼曹は、

「日本国王の使臣の例によって、その道（行路）の駅丞《えきじょう》をして、伴来《ばんらい》せしめよ」

と、命じた。

しかし、これには、

「琉球は日本と同じではございません。依《よ》って、日本国王使臣の例によらず、特に官人《かんじん》を遣わして、伴来せしむるべきでございます」

と、異論が出た。特別扱いであった。

王はこの意見を諒《りょう》として、特に宣撫使《せんぶし》を立てて迎えに行かせた。

十一月六日、琉球国王の使者は入京し、東平館《とうへいかん》に入った。東平館は王都ソウルにおける日本人の接待・宿館である。

十一月九日、王は景福宮《けいふくぐう》に幸《こう》し、王世子、群臣を率いて、冬至の儀礼を行なった。

琉球の使者、夏礼久・宜普結制及び船主らは、西班《せいはん》三品の列に立って、王に拝礼を行なった。初代太宗の代に定められた班次《はんじ》（一品正従～九品正従の序列）では、東班《とうはん》は文官、西班は武官で、琉球使者は東班五品下（従五品）であったが、今回は前日に議定《ぎじょう》があり、琉球使者の班次はひき上げられたのである。琉球を従来よりも重く位置付けたのである。

拝礼が終わって、王は夏礼久、宜普結制の正副使を、景福宮正殿の勤政殿《きんせいでん》にて、引見《いんけん》した。

夏礼久は、跪進《やくしん》して、尚巴志王の咨文を奉った。

《琉球国中山王尚巴志、書を致して曰く、照得《しょうとく》するに、洪武より永楽に至るまでの年間、祖王（察度）・先父王（思紹）より遣使し、礼して馳献《ちけん》す。又累《かさ》ねて貴国の遣使して国に到り、及び珍貺《ちんきょう》を恵むるを承《う》く。その後、本国は能《よ》く海道を諳《そら》んずる人なき為に、疎曠《そこう》を致すこと多年なり。切に念《おも》うに、隣国の交通は亦た往来の義を尚《たっと》び、行人《こうじん》（使者）の伝命は用《もっ》て和好《わこう》の盟《めい》を堅くす。今専《もっぱ》ら正使夏礼久等を遣わし、日本国対馬州の客商《きゃくしょう》の来船一隻に順搭《じゅんとう》（便乗）して便道《びんどう》し、菲儀《ひぎ》を齎捧《せいほう》し、前《すす》んで国王殿下に詣でて奉献し、少《すこ》しく微誠《びせい》を伸《の》ぶ。幸希《ねが》わくは叱納《しつのう》されんことを。》

こういう挨拶に添えて、

《差し遣わされし人員は物貨を付搭《ふとう》す。仍《な》お乞う、貿易を寛容し、早《すみや》かに打発《だはつ》を為《な》し、回国《かいこく》を爲さしめば便益《べんえき》ならん。》

と、蘇木二千觔《きん》（斤）・白礬《はくはん》一百觔を「礼物」として奉献し、貿易を願い出ている。

咨文を覧《み》て、王は、

「時、寒し。水路、艱苦《かんく》して来《きた》れるか」

と、労《ねぎら》った。

夏礼久は答えて言った。

「我が国の祖王・父王より交好《こうこう》の礼を相修《あいおさ》む。その後、倭人《わじん》の阻隔《そかく》し、久しく修好を廃す。年前（昨年）、前好を修めんと欲し、船を粧《そう》して風を待つこと殆《ほとん》ど将《まさ》に数月にならんとするも、風、順便《じゅんびん》ならず、卒《つい》に未だ来聘《らいへい》せず。去る（去年）六月、対馬の賊首《ぞくしゅ》六郎次郎の商船、国に到る。借騎《しゃっき》して来《きた》れり。且つ貴国の被虜人、我が国に留まる者百有余人、率いて来たらんと欲するも、船隻狭窄《せんせききょうさく》にして、且つ風の便ならず、未だ率いて来るを得ず」

「琉球王の厚意を知る」

王はゆったりと頷いた。

その後、王は領議政《りょうぎせい》（議政府の首職、正一品）の黄喜《こうき》に言った。

「前日議定《ぎじょう》して、琉球国の使臣は権豆《けんとう》の例に依って、三品の班次に序す。然れども権豆は中朝《ちゅうちょう》（中国）の官職を受けていると雖《いえど》も、本国の境内《けいだい》に居る。今、琉球の使臣は乃《すなわ》ち敵国《てきこく》対等の国の使なり。従二品の班次に序すは如何《いか》に」

権豆とは豆満江《とうまんこう》中流域、建州女直族《けんしゅうじょちょくぞく》の人の名で童権豆《どうけんとう》のこと。中朝の官職を得ていたというのは、明から建州衛指揮《えいしき》を授けられていた。この年正月から、朝鮮に滞在していた。

琉球は我と対等の国なれば、権豆と同列でなく、品位を上げよ、と王は言ったのである。

しかし、黄喜は首を振った。黄喜は建国王太祖《たいそ》に抜擢され、太宗に仕《つか》え、今は世宗の最側近として、全幅の信頼を得、この年（世宗十三年）、議政府のトップ領議政（正一品）

に任じられたところだ。

黄喜は答えた。

「琉球国の客人は、本朝の群臣と一緒には行礼《こうれい》致しません。班次の高下《こうげ》を計る必要はありません。宜しく三品の行《こう》に序せばよろしいでしょう」

議政府のトップたちもこれに賛同した。

「これより以前、日本国王の使人、本国の三品の列に序し、その来《きた》るや尚《ひさ》し。琉球国王の使人もまた日本国王の使臣の例によって、三品の班次に序しても、面目を失わぬでありましょう」

「琉球国は日本国より小さい。日本国王の使人、すでに三品の行に序すれば、則ち今、琉球の客人、二品の列に序するのは相応しくないと存じます」

琉球を日本より上の序列に位置づけるのは相応しくない、同列でよいのではと進言したのである。

「相分かった」

王は彼らの意見に従った。

十一月十三日、王は正使夏礼久、副使宜普結制に衣各二《い》領、余人（随従者）に各一領を賜わった。

翌十四日、夏礼久は烏梅木（黒檀《こくたん》か）十四斤・深中青（絵画顔料の紺青石か）二十両・胡椒二十斤・蔓藤百個を、また宜普結制も束香《そくこう》八斤十三両・青磁盃一事を奉献。これに対し、王は、夏礼久に正布《せいふ》六十四、宜普結制に三十四を回賜《かいし》した。

十一月二十日、王はまた、琉球正副使に衣各一襲《しゅう》、船主（早田六郎次郎）・伴人らに衣各一領を賜わった。衣の一襲とは、上着下着の襲《かさね》（重ね）一対である。

十二月六日、夏礼久・宜普結制および対馬の六郎次郎らが辞去するに際し、王は引見して、

「故意《こい》を忘れず、専使《せんし》して修好す。予《よ》、心より之を喜ぶ。帰りて汝の王に告げよ」

と、わざわざ言葉を賜わり、琉球王への書を託した。故意というのは旧来の信に基づいた友情の意である。

《朝鮮国王李祹《りとう》、奉復《ほうふく》琉球国王殿下》

――で始まる、琉球王に答える朝鮮王世宗の書は、次のような内容であった。

《我が国と貴邦と世々信睦《せいせいしんぼく》を敦《あつ》くするも、海路の遼遠《りょうえん》なるに縁《よ》り、以て多年の疎曠《そこう》を致す。今、王、先君の好《こう》を継ぐを思い、専使して来聘し、仍《な》お礼貺《れいきょう》を恵み、更に以て交通往来の意を示す。寡人《かじん》（王の謙遜自称）深く喜謝《きしゃ》す。庶《ねが》わくは此の心を堅くし以て終誉《しゅうよ》を永くせんこと、豈《あ》に美《び》ならざらんや。不腆《ふてん》の土宜《どぎ》もて、いささか微誠《びせい》を表《あらわ》す、

竊《ひそ》かに希《ねが》わくは領納《りょうのう》されんことを。》

「不腆の土宜」（乏しい土産）と謙遜する礼物は、次の通りである。

苧《ちょ》・麻布《まふ》各十五匹、人参百斤、満花席《まんかせき》十五張、虎皮五張、松子《しょうし》二百斤

満花席は全面に模様を織り込んだ茣蓙《ござ》、松子は食用の松の実である。

20

朝鮮世宗十五年（宣徳八年、尚巴志十二年、一四三三）。

七月、琉球国より招いた船匠《せんしょう》（船大工）が、見様《みよう》（模型）の小船を持ってきて、司水《しすい》色《しょく》（戦艦造船所）に呈した。琉球船匠は、対馬の六郎次郎の船で来たのであり、尚巴志王が送ったのである。

これは、太宗十六年（永楽十四年、思紹十一年、一四一六）に、被虜人刷還のため琉球に渡った李芸《りげい》が、夏礼久らが来た前年の世宗十二年（一四三〇）大護軍《だいえんぐん》（軍の上級将軍、従三品）となって、兵船軍器を整備し海賊等の不虞に備えることを議した中で、

「江南・琉球・南蛮・日本諸国の船は皆、鉄釘《てつくぎ》を用いてこれを短期間で建造し、堅牢緻《けんろうち》密《みつ》にして軽快、数月海に浮かぶと雖《いえど》も、固《もと》より滲漏《しんろう》（水漏れ）することとなし。たとい大

風に遇《あ》うも亦た毀傷《きしょう》せず、二、三十年は持つであろう」

と、その見聞に沿って述べ、帰国する夏礼久らに、王が、船匠派遣を依頼したのである。

船匠を伴ってきた六郎次郎には、米・豆ともに五十石が贈られた。

琉球の船匠は三人。吾甫也古《あふやく》（大屋子《うふやく》）、三甫羅《さぶら》（三良）、吾夫沙豆《うふさと》（大里）。

朝鮮船大工らを指揮して、約八か月後の世宗十六年（宣徳九年）三月に、戦艦を新造した。

三月十八日、王は世子、および王族、高官らとともに、漢江河畔《かんこうかはん》にある四阿《あずまや》、喜雨亭《きうてい》に幸し、新艦を観た。

漢江のソウルに近い船着場、西江《せいこう》に朝鮮戦艦と並べて、新造艦が浮かべられ、その速さが較《くら》べられた。

琉球船匠の造った艦船が、やや速かったが、それほどの違いはなかった。

二艦は流れに従って下り、また流れを溯《さかのぼ》った。このような試走を三回繰り返した。

王は満足して頷き、司水色・司宰監《しさいかん》の官員および琉球船匠に、食と金銭を与え、小宴を催してねぎらった。

造船など長期滞在のため、琉球船匠二人には、現地で妻帯《さいたい》が許された。その二人の妻には、月料《げつりょう》（月糧＝月々の食料）が給せられた。

が、五月七日、妻帯した一人、吾甫也古が亡くなる。王は、棺及び紙五十巻・米六石を賜い、また掩壙《えんこう》の奠《てん》（葬儀）を営ましめた。

九月二十三日、義政府・六曹は、戦艦の快鈍《かいどん》を、文書にして王に呈した。

○漢江のソウル近郊京江《きょうこう》で三年前（世宗十三年）に造った冬字《とうじ》の甲船《こうせん》（鎧船）は、中《ちゅう》快《かい》にして、下体《かたい》は鉄釘・木釘が半々、上装はすべて鉄釘で、鉄一千八百斤を使った。

○今秋、京江に司水色の造った往字《おうじ》の甲船は上快《じょうかい》にして、下体は鉄釘・木釘が半々、上装はもっぱら鉄釘を用い、鉄一千九百斤一両を使った。

○今春、琉球国の船匠が造った月字《げつじ》の甲船は下快《かかい》にして、上装・下体ともに鉄釘を用い、鉄三千三百五十二斤一両を使った。

上快・中快・下快は速さのことである。琉球船匠の船が遅かったのは鉄を倍近く使ったための鈍重さのためである。

王は、兵曹に命じた。

「今後、各道各浦《かくどうかくほ》の戦艦は、冬字・往字の見様《みよう》により造船すべし。琉球国船匠の造った月字船は、上装は戦艦に合わないと雖《いえど》も、下体が堅牢なれば、この法（手本、規範）によって造船するよう、この見様の事、各道に命じよ」

今後に造る甲船は上快・中快のモデルに準じ、下体は堅牢な琉球船匠の船を手本とせよ、というのであった。

その三日後の九月二十六日、王は、妻帯した琉球船匠三甫羅に米と豆とともに十石を賜い、また戸曹をして、月ごとに三甫羅及び妻に料を給するよう命じた。

翌年（宣徳十年、尚巴志十四年、一四三五）十月、礼曹から上奏があった。

琉球船匠の吾夫沙豆が言うには、在朝二年余、厚く上徳《じょうとく》を蒙り、懐土《かいど》（帰郷）の心はないが、金原珍《きんげんちん》に随《したが》って帰国し、妻子に会ってきたいと願っているので、その願いに従い、また綿紬《めんゆう》十四匹、席子《せきし》（敷物）十張を賜うようにと願い立て、王はその通りにした。

これによって、朝鮮で妻を娶《めと》ったのは亡くなった吾甫也古、三甫羅の二人で、吾夫沙豆は琉球に妻子がいたことが分かる。

また、琉球に渡ろうとしている金原珍（金元珍）というのは、世宗十三年（宣徳六年）に、対馬の六郎次郎の船で来た琉使夏礼久が、

《貴国の被虜人、我が国に百有余人あり。率いて来たらんと欲するも、船狭く、風難ありて、率い来たるを得ず》

——と、述べたと聞いて、攫《さら》われた孫娘を捜しに、自ら琉球に渡ろうと願い出たのであった。

世宗十八年（正統元年、尚巴志十五年、一四三六）十月、吾夫沙豆は金原珍とともに、

早田六郎次郎の船で朝鮮を発った。吾夫沙豆は四年ぶりの帰郷であった。

九か月後の世宗十九年（正統二年、尚巴志十六年、一四三七）七月、金原珍は琉球で孫娘の龍徳《りゅうとく》を捜し出して、他の被虜人五人とともに朝鮮に連れ帰った。王は金原珍に綿紬二匹、麻布四匹を賞した。

もっとも、金原珍（金元珍）は、二度目の渡琉と思われる。

一度目は、世宗十一年（宣徳四年、尚巴志八年、一四二九）――折しも琉球は南山が滅びた年だが、大風に煽られて江原道欝珍県に漂着した包毛（蒙）加羅ら十四人を、薩摩経由で回国させる時に同道させた通事の金源珍と同一人であろう。

金原珍が琉球で孫娘を捜し出して帰国したその年十一月二十七日、礼曹は王に上奏した。

「琉球はたびたび来聘《らいへい》するも、我が国にその文を通解《つうかい》する者がないので、朝廷の内外に令して、琉球国の文を通解する者を捜し出し、司訳院（通訳、翻訳の役所）の訓導《くんどう》となし、倭学生をして、兼ね習わせしめたい」

王は了承した。

明国へは、宣徳八年（尚巴志十二年、一四三三）は二使、九年は三船四使が、それぞれ馬や硫黄、日本、南蛮物産などを貢ぎながら、謝恩と進貢を行なった。

しかし、明国進貢はまもなく転機を迎える。

宣徳十年（尚巴志十四年、一四三五）、礼部尚書（長官）の胡濙《こけい》が、

「仰せの趣を奉じて、近ごろは冗費の節約につとめているところでございます。四方の遠国の使臣は、稍々《やや》もすると百人ほどにもなり、沿道では供給に困っています。各街道の総兵官《そうへいかん》、並びに都指揮司《としきし》・府政司《ふせいし》・按察司《あんさつし》の三司に勅して、審査の上、正副使と従人の十ないし二十人だけ、入京せしめ、残りの者は入港地に留めて、給待《きゅうたい》すればよいのではございますまいか」

と、提議したのである。

礼部尚書胡濙は、節倹寛和《せっけんかんわ》の人として、長く朝廷で厚い人望を得ている人であった。

宣徳帝は、これを了承し、以後、琉使の入京は二十人となった。

この年の琉使は、唐営長史の梁求保《りょうきゅうほ》、通事李敬《りけい》であり、この入京人員の制限は、同使に伝えられたのである。

この年、宣宗宣徳帝は、重い病に罹《かか》っていて、やがて崩《ほう》じた。

三十七歳の若さであった。父永楽帝が広げた対外積極策を避けて、内政安定につとめ、名君と評される。

その長子、九歳の朱祁鎮《しゅきちん》が、第四代皇帝となり、英宗《えいそう》を名乗り、元号は正統《せいとう》となる。

幼帝を支えていったのは、「三楊《さんよう》」といわれた三賢《さんけん》、楊子奇《ようしき》、楊栄《ようえい》、楊溥《ようたん》であった。

宣徳帝が崩じ、英宗が即位した宣徳十年は、琉球からは長史の梁求保のほか、伍是堅《ぐしけん》(具志堅)、義魯結制《ぎろうっち》の三使が来て、英宗登極、翌年の改元、正統元年までいたのは伍是堅であり、彼の帰国に際して、英宗正統帝は大統暦《だいとうれき》を頒賜《はんし》し、また尚巴志王への勅を託した。

尚巴志王への勅は、王と日本国源義《げんぎ》(足利義教)の招諭であった。

王はこの秋、阿普尼是《うふしく》(大城)・通事鄭長《ていちょう》を謝恩使に、布勃也《ふぶや》(大親か)・程按《ていあん》・通事梁振《りょうしん》、義魯結制・通事范徳《はんとく》を進貢に派遣したが、この使者が馬と方物の貢物だけ申告し、私物として持ち渡った螺殻《らかく》(夜光貝)九十、海巴《かいは》(宝貝)五万八千を申告しなかった。この使者が誰だったのかはっきりしないが、布勃也・程按ではなかったろうか。

港の担当官は、申告漏れとして、これを没収した。

使者は不平を述べ、代価の支払いを求めた。

正統帝は礼部に、

「螺殻・海巴は遠人がこれを以て貿易しようとしているのである。没収してどうしようというのか」

と、咎め、命じて、ことごとく返還せしめた。

正統帝の命令というのは、幼帝に代わり、かの三賢「三楊」によるものであろう。

21

この正統元年（尚巴志十五年、一四三六）、琉球の国相懐機《こくしょうかいき》は、江西省広信府貴渓県の天師道《てんしどう》（道教）本拠、龍虎山《りゅうこざん》の天師大人《てんしたいじん》（張九陽）に、手紙を書いた。大人は天師道第四十五代天師であった。道教に帰依していた懐機は、かねて深く、龍虎山を崇敬《すうけい》していた。

尚巴志王が病となったので、その平癒《へいゆ》を祈って、「誥録《こうろく》」を乞うたのである。誥録は符録《ふろく》ともいって道教の法録《ほうろく》、すなわち護符《ごふ》である。香花料《こうかりょう》として、尚巴志王から沙金《さきん》二十包（八十両）、懐機から十包（四十両）、及び金銀彩色の日本扇七十五把を添えて――。

尚巴志王は六十五歳に達していた。老いた頬はげっそりとなり、身も縮んだようであった。英気はすでに失われていた。

正統三年（尚巴志十七年、一四三八）、龍虎山天師大人から、やっと誥録が送られてきて、懐機は礼状を出した。これは十一月十日付である。同年十月には、正統帝英宗への慶賀使として、唐営長史の梁求保が北京に上っており、龍虎山への礼状は彼に託され、日付は梁が入れたのであろう。

礼物は、前回と同じく、尚巴志王から沙金二十包（八十両）、懐機から沙金十包（四十両）、そして銀面紅色扇十把、水墨画扇二十把であった。

しかし、誥録の加護も空しく、尚巴志王の病はますます重くなっていった。

老いた目に濁りも見えた。明らかに、死相が表われてきていた。枕から頭を上げる力も失せていた。

「重篤」「危篤」の報を受けて、枕元には、尚巴志の子らがずらりと並び、息を詰めていた。

二男の北山監守（今帰仁王子）尚忠（四十八歳）、六男の尚金福《しょうきんぷく》（四十一歳）、七男の尚布里《しょうふり》（三十五歳？）、八男の尚泰久《しょうたいきゅう》（二十四歳）。長男はすでに亡い。

これだけ子供たちがいながら、その子らの消息は王府史記では、尚巴志代にはあらわれない。尚忠が北山監守に任命されたことだけである。

子息たちは首里にそれぞれ邸宅を賜わって、独立していた。尚巴志王代に彼らの消息が不明なのは、彼らは表にしゃしゃり出なかったからである。

尚巴志王は〝簒奪王権〟という「負《ふ》」を心に負って、中山においては〝新参者《しんざんしゃ》〟という慎みを忘れなかった。子供たちを周りに固めて、王権を一族で仕切るような、一族による権力集中政治を嫌った。〝新参者〟は大きな顔をしてはいけないのである。「尚」姓を「万世一系」の姓に——といいながら、自分を継ぐ「世子」さえ定めなかった。

長男は早くに亡くなり、「世子」は事実上、二男の尚忠であるが、その彼さえ手元に置くのではなく、遠く今帰仁に遣ったのである。

王権を手中に入れても、一族政治を排し、古くから中山を守ってきた按司たちを立てた。また「海邦」琉球の将来を拓くために貿易に力を入れ、それを担う唐営を重んじ、長史懐機を「国相」に抜擢して、国政を補佐させてきた。

すぐれた戦略家であり、武略も果断であるが、按司たちを立てながらのそれであり、また按司たちの意見も隔意なくよく聞いた。按司たちも尚巴志王に対しては身内的な親しみさえ抱いた。

子供たちは按司たちから一歩引いて、背後で父を支えていく、それもしゃしゃり出ないようにと諭しつつ。

そういうあたりが、尚巴志の治政の根本であった。それこそが、尚巴志王権を確固たるものにしたのである。

ずらりと、枕元に居並んだ子息たちは、決して暗愚ではなかった。末子の尚泰久などは先年、大和の京、鎌倉に遊学、寺社を巡って仏道を深めてきていた。

その尚泰久は先年、読谷山按司護佐丸の娘を娶り、今は越来グスクにあって「越来王子」と呼ばれている。

尚巴志とともに北山討伐で武功を上げた越来按司が、嗣子がなかったため、若くて学識もあり、また武芸にも秀でた尚泰久に目を付けて、尚巴志に乞い、養子としたのだった。

尚泰久は十五、六の頃、〝槍越来〟といわれた越来按司の凛々しさにあこがれ、そのもとで槍の稽古をしたこともあったのだ。

越来按司は先年、老齢で亡くなり、尚泰久が継いで新しい越来按司となっていた。

その尚泰久の後には、尚忠の嫡子尚思達《しょうしたつ》（三十一歳）、尚金福嫡子の志魯《しろ》（二十歳）も控えていた。

背後には、女たちも控えていた。子供たちの母たる正妃、継妃はすでになく、尚忠・尚金福・尚布里・尚泰久・尚思達の妃やその付き人、またグスクの祭祀を司る神女や、グスクの賄女たちを指揮する女官らであった。

反対側には、王府の高官たちが詰めていた。

死の迫る床で、尚巴志王は瞼を落としたまま、

「国相殿《こくしょう》――」

と、懐機を呼んだ。

「はい、お側に控えております」

懐機がにじり寄った。

尚巴志王はかすかに頷いて、

「法司《ほうし》殿もおられるか」

と、訊いた。

懐機の後ろに控えていた法司の模都古が、

「はい、ここにおります」

と、にじり寄った。

尚巴志王は瞼を落としたまま、またかすかに頷き、

「わしにも、もう迎えが来ておるようじゃ……」

呟くように言った。

「何の。龍虎山から護符《ごふ》も参りましたぞ。天師道大人《てんしどうたいじん》も、龍虎山で、ご平癒《へいゆ》を祈ってお
られます。まだ七十前ですぞ。しっかりなさりませ」

懐機は励ました。

尚巴志王は、やはり目を閉じたまま、うっすらと笑った。

「もう十分に生きた。悔いはない。父上が夢の中で、もうこっちへ来いと微笑んでおられた」

「…………」

誰も黙した。女たちから嗚咽《おえつ》が漏れてきた。

「国相殿――」

「はい」

「法司殿――」

「はい、ここにおります」

二人は、顔を上げて、〝死の床〟の尚巴志王を見下ろした。

「我が後《のち》のことじゃ」

尚巴志は、遺言を述べ始めた。

「わしは世子を定めていなかったが、我が後は、予定通り、北山監守の忠《ちゅう》、今帰仁王子に継がせよ」

それはすでに、尚巴志王から達せられ、尚忠《しょうちゅう》は北山監守を引き上げて、正式に「世子」として首里城に入っていたのだ。名も尚忠と付けてある。

「はい。今帰仁王子様は、すでに御世子《ごせいし》として、お迎えしております」

「うむ……。チューよ——」

尚巴志は尚忠を童名《わらびな》で呼んだ。

「はい、父上。お側におります」

尚忠が、膝を進めた。

「うむ。察度王から武寧王へ、そして武寧王を討ったことなどは、くわしく話してあるな」

「はい……」

「武寧王になってはならぬぞ」

「はい」

創業主たる察度王の偉大さ、その威光に、胡坐《あぐら》をかいて、身を持ち崩すなということであろう。

しかし、もう多くを語る気力はなさそうであった。

そのまま、寝入ったかに思えたが、しばらくして、薄く目を開いた。

「護佐丸はまだか……」

「はい、早馬を出しましたので、やがて参るかと……」

模都古が答えた。

尚巴志がとくに、護佐丸を呼べというので、今朝方、早馬を送ったのだ。

懐機も、模都古も、とくに護佐丸を呼んだのは、外野から、尚忠を補佐させようということであろうと思っていた。護佐丸には、座喜味にグスクを築いて山田から移った後も、彼の後を引き継いで北山監守となった尚忠を、ずっと補佐させてきて、尚忠の護佐丸への信頼は厚いものがあった。

また、末子尚泰久には岳父であり、身内も同然であった。

思い出したように護佐丸の名を言ってから、尚巴志はまた、静かに、寝入ったようであった。

あたふたと、護佐丸が駆け付けてきた。

尚巴志の枕元に膝を突いて、

「護佐丸にございます」

と、声を掛けた。

寝入っていた尚巴志が、うっすらと目を開けた。

寝入っていたというより、意識は、夢うつつの間をさまよっていたのであろう。

顔を護佐丸の方へかすかに傾けて、

「おお、護佐丸か……」

かすれた声で言った。

「はい。お気を確かに――」

「うむ、もう皆に、別れを申しておるところじゃ」

「そんな……」

「何、十分に生きた。夢は、果たした。悔いはない……」

尚巴志は、懐機、模都古らに言っていたことを繰り返した。

命が迫る中で、彼は、充足感を噛みしめているのだろうか。

確かに、三山統一、天下を取るという、大きな夢は、見事に果たしたのだ。

尚巴志はまた瞼を落とした。

落としたままで、

「護佐丸、そなたには、とくに、頼みがある」

「はい、何なりと」

「そなた、座喜味にグスクを築いて、何年になる？」

「は？　あ、はあ……」

護佐丸は頭の中で数えて、

「十五年になります」

何だろう？　と訝《いぶか》る気持で、尚巴志の寝顔を見詰めていると、尚巴志は相変わらず瞑目したままで言った。

「十五年か。いつぞや、見せて貰ったが、いいグスクじゃ。鷲が羽を広げているようで、美しく、勇壮であった……」

「お褒めに預かり、ありがとうございます」

「うむ……。そなたには、頼みがある……」

「はい。何なりと……」

護佐丸が深く手をつかえると、
と、尚巴志は目を閉じたままで法司を呼んだ。

「模都古――」

「はい――」

と、法司模都古が首を伸ばして覗き込むと、

「勝連のことを、語って聞かせよ」

尚巴志は瞼を落としたまま言った。

「はい……」

と、模都古は頷いて、横の護佐丸に膝を回した。

語ったのは、勝連の不穏《ふおん》な動きのことであった。

勝連按司はこれまで、中山の圏外で独自の道を歩みながらも、中山への敵対はなく、親睦も深まっていた。

思紹王の晩年には、朝鮮との通交を開きたいと申し入れがあり、王の「二男賀通連」の名を許して、使者派遣をさせたこともある。

その賀通連が先年亡くなって、新しい勝連按司となったのが、勝連の執政役《しっせいやく》だった者で、名を茂知附《もちづき》という。

その男はどうやら倭人《わじん》で、倭寇の流れが居付いて、勝連按司に取り入っていたようだ。

茂知附という名も大和の満月をいう望月《もちづき》の言い換えらしい。

ところが、調べて見ると、彼はなかなかの野心家で、倭寇と組み、中山――いやもう「琉球」そのものであるが、その琉球の明国進貢権を手に入れるべく、首里を攻めんと謀《はか》っているらしい。

対馬の早田六郎次郎からの情報だが、博多など北九州方面の倭寇に通じて、そうした謀事《はかりごと》で誘いを入れているという。

勝連と首里の間には、中城がある。難攻不落の構えで、首里には北の守りともなる。

それで、中城には、勝連監視を怠らぬよう命じていた。

しかし、その中城按司も代を繋いで、今の中城按司はまだ十代で、ひ弱い。勝連が攻め入れば、あっさり蹴破られよう。

「護佐丸も座喜味に移ってきた。護佐丸の名は北山討伐以後、琉球第一の武将として名をとどろかせている。護佐丸に中城の後ろ盾になるよう申し付け、これを天下に告げよう」

と、尚巴志王は言っていた。護佐丸の名があれば、さしもの勝連茂知附も、軽々には動くまい、と。

そのことを、改めて護佐丸に申し付けようというのであろうと、模都古も、そして懐機も思ったのだが、模都古が勝連のことを語り終えると、眠っていたように身じろぎひとつしなかった尚巴志は、かすかに瞼を上げ、

「護佐丸――」

と、再び呼んだ。そして、やはり目を閉じたまま、

「頼みというのは……」

と、言葉を切ってから、

「せっかく、座喜味に、いいグスクを築いたところじゃが、そなたには、中城に移って貰いたいのじゃ」

「はい？　な、中城でございますか」

模都古と懐機も、驚いて顔を見合わせた。

「出し抜けで、びっくりしたか」

「は、はい……」

模都古も懐機も、護佐丸には中城の後ろ盾を申し付けるものとばかり思っていたのだった。しかし、尚巴志は、それでは生ぬるいと思い直したのだ。

確かに、いくら後ろ盾になろうとも、中城から座喜味は遠い。勝連茂知附按司は倭寇流れの荒々しさがあろう。

護佐丸の名だけでは、虚仮威《こけおど》しであって、怯《ひる》ませることは出来ぬかも知れぬ。実際に茂知附が動けば、間に合わない。

中城が陥ちれば、首里へはもう一本道だ。

自分を継ぐ尚忠に、自分ほどの武略があれば、茂知附按司が事を起こす前に、勝連を討伐することも出来ようが、尚忠はいくさの経験もない。

おまけに、倭寇は朝鮮、明国の最新武器を仕入れてくるであろう。勝連が彼らと結べば、――いや、結んでいるということだから、この首里も安心できない。

勝連の野心を抑え込めるのは、自分なき今や、護佐丸しかない。若き、軟弱な中城按司は更迭《こうてつ》し、護佐丸にすげ替えるに如《し》くなし――。

尚巴志は、このように考え直したのだ。

十分に生きた、悔いはない――とはいうが、成し遂げた夢が壊されるかも知れないという、自分亡き後への懸念から、彼は「後顧の憂いなく」逝くために、護佐丸に後事を託そうとしているのだ。

死の床にありながら、戦略の冴えは衰えていない。

「ま、いきなりでは、そなたも戸惑うであろう。座喜味の新グスクへの未練《みれん》もあろうが、せっかく太平《たいへい》にしたこの琉球を、掻き乱されたくはないからな。よく考えて、国相、法司らともよく相談して、決めてくれ」

「はい……」

「うむ。――タチュー」

尚巴志は末子の尚泰久を呼んだ。

「はい」

尚泰久はびっくりして項垂れていた顔を上げ、慌ててにじり寄った。

タチューは尚泰久の童名である。二男尚忠もタチューと同系の童名で、童名の数が少なく、家族内でも重なり合うことはよくあると、前に述べたが、ここでも重なり合っているわけであった。

尚泰久がにじり寄ると、目を閉じたままの尚巴志は気配をさとったか、瞼を落としたまま、

「タチュー。お前は越来グスクで兵をつくれ。勝連への睨みだ」

「はい……」

「御舅の護佐丸公が、中城へ入ってくれる。舅殿と連携し、勝連を睨み、首里を守れ」

「はいッ！」

「うむ……」

尚巴志は尚泰久に言い付け、それから、

「護佐丸――」

と、目を閉じたまま呼びかけ、

「はい！」

と、護佐丸が応じると、

「頼んだぞ……」

呟くように言い、

「はいッ！」

護佐丸が意を汲んで答えると、「うむ……」と尚巴志はうなずき、そして、力尽きた

ように——というより、〝遺命〟を下し終えて、安心したのか、そのまま寝入った……。

正統四年（一四三九）四月二十六日、一代の英傑《えいけつ》、尚巴志王はその六十八年の生涯を閉じた。在位十八年だが、父思紹王代十六年も実質、彼が全的支配を揮《ふる》ったのであるから、父思紹王はいってみれば彼の傀儡《かいらい》だったのであり、尚巴志が天下に立って号令したのは、その思紹代も含めて、都合三十四年である。

南山の一角、崖下の海辺から飛び立った若鷲は、大鷲となって、琉球の空に舞ったが、その晩年は、大明国に対しても怯《ひる》まず、琉球に対する不正を許さず、決然と臨み、南蛮の交易王国シャムにも対決して琉球の利益を断固としてかちとり、琉球の誇り高き気概——「万国津梁」の礎《いしずえ》を確固として切り開いた王であったということが出来よう。

王府は龍潭の北西近くに墓陵を築き、天蕣山《てんせいざん》と名付け、墓陵は「天山陵《てんざんりょう》」と称した。

国相懐機は、龍虎山天師《りゅうこざんてんし》に、切々たる手紙を送った。

——符録《ふろく》を賜りましたものの、国王尚巴志は不幸にも、最近薨去《こうきょ》されました。琉球国中の臣民は天に号泣《ごうきゅう》し、深く痛み悲しんでおります。幽界《ゆうかい》のことは知り得ませんが、伏して大道天師の慈《じ》にすがり、上天老祖天師《じょうてんろうそてんし》に転達《てんたつ》し、痛哀《つうあい》を下憐《かりん》して、天上にて度生《どせい》されるよう、薦《すす》めていただきたい——

正統六年（尚忠二年、一四四一）、読谷山按司護佐丸は、座喜味グスクを長男盛千代に継がせて、中城へ移り、中城按司となった。

そして、勝連に向かう搦手《からめて》に、新しい城郭を継ぎ足し、備えを強化した。この新しく継ぎ足した城郭が三の郭である。接続する郭に石造拱門《きょうもん》（アーチ門）があるが、これは搦手すなわち裏門である。正門は反対側にある。

護佐丸が継ぎ足した搦手側の三の郭城壁は、屏風《びょうぶ》を立てたように、整然と聳え立った――。

完

与並　岳生（よなみ　たけお）

〈おもな作品〉
歴史小説・小説
『琉球王女 百十踏揚《ももとふみあがり》（新星出版）
『思五郎《うみごろう》が行く―琉球劇聖・玉城《たまぐすく》朝薫《ちょうくん》』上下２巻（琉球新報社）
『南獄記』（琉球新報社）
『新 琉球王統史』全20巻（新星出版）
『南島風雲録』（新星出版）
『琉球吟遊詩人 アカインコが行く』（琉球新報社）
『舟浮の娘／屋比久少尉の死』（新星出版）
『島に上る月』全８巻（新星出版）
『沖縄記者物語 1970』（新星出版）
『沖縄記者物語２ キセンバル』（新星出版）
『沖縄記者物語３ 南濤遺抄《なんとういしょう》』（新星出版）
『続・琉球王女百十踏揚　走れ思徳《うみとく》』（琉球新報社）
『新釈　宮古島旧記』（新星出版）
その他
『琉球史の女性たち』（新星出版）
『グスク紀行―古琉球の光と影』（琉球新報社）
『世界遺産・琉球グスク群』（共著、琉球新報社）
『名城をゆく26―首里城』（共著、小学館）
『―戯曲―　海鳴りは止まず』（新星出版）
『戯曲集　火城―琉球国劇「組踊」誕生―』（新星出版）
写真集
『炎の舞踊家 宮城美能留』（新報出版）

新編 琉球三国志 下〈人の巻〉

二〇二〇年十一月一日 初版第一刷発行

著 者 与並 岳生

発 行 新星出版株式会社
〒九〇〇-〇〇〇一
沖縄県那覇市港町二-十六-一
電話 〇九八-八六六-〇七四一

印刷所 新星出版株式会社

©Yonami Takeo 2020 Printed in Japan
ISBN978-4-909366-52-8 C0093
定価はカバーに表示してあります。
万一、落丁・乱丁の場合はお取り替えいたします。
※本書の無断使用を禁じます。

与並岳生の本（単行本）

南獄記

—琉球版〝安政の大獄〟—

琉球王国崩壊の序曲——

島津斉彬急死、250年余に及んだ薩摩の琉球支配が破綻！

吹き荒れる陰謀とぶつかり合う琉球の意地。

牧志・恩河事件が王都首里を引き裂く！

四六判　514頁 ／ 定価：1,857円＋税 ／ 発行：琉球新報社